英文簿記入門

安生浩太郎　監修
ANJOインターナショナル　編

英文簿記入門

安生浩太郎 監修
ANJOインターナショナル 編

実業之日本社

まえがき

「簿記」や「会計」という言葉で皆さんはどのようなことを連想されるでしょうか？

これまでの日本では、簿記や会計は、どちらかというと "暗い" あるいは "ダサイ" といったイメージで敬遠されがちでした。しかし、現在では金融ビッグバンや会計ビッグバンに端を発した経済のグローバル化により、その重要性が日増しに高まっています。なかでも、連結 (Consolidation) 経営、キャッシュフロー (Cash Flow) 経営および時価評価 (Market Value) 重視の経営に代表される国際会計基準 (IAS) の導入は、単なる変化というよりも、日本の会計だけでなく日本企業や日本社会そのものを根本から覆す「革命」ともいえるものです。

企業の資金調達手段が間接金融から直接金融に移行するなか、ムーディーズ (Moody's) などの格付機関が重視するのは財務諸表 (Financial Statements) であり、経済のグローバル化と大競争時代の到来が年功序列・終身雇用から能力主義・実力主義への雇用制度上の変化をもたらし、学歴重視のゼネラリスト志向から会計知識などの専門技術 (スキル) をもったスペシャリスト志向型社会への変遷を促しています。こうした一連の変化の結果、日本の企業社会は減点主義的人事評価から挑戦を尊ぶ加点法型に変わり、アメリカのように30代・40代でも再挑戦のできる多様性に満ちた社会へ変わっていくことでしょう。こうした社会において生き残り (Survival) の武器となるのが、会計知識等による理論武装です。

今後のビジネスの展開において、もっとも重要なスキル (Skill) に、(1) 国際競争時代におけるコミュニケーション手段としての英語 (English)、(2) 情報化社会における仕事のツール (Tool) としてのコンピュータ (Computer) の知識、及び (3) 企業が開示 (Disclosure) する情報の分析のための会計 (Accounting) 知識の3つがあげられますが、これらのスキルのいずれにも深く関わっているのが英文簿記や英文会計すなわちアメリカの会計知識なのです。

規制の時代には法律が重視されましたが、自由競争の時代には経済（会計）が重視されます。企業の資金調達が国境を越えるなか、IR (Investors Relations) を通して企業側に情報開示 (Disclosure) のための英文会計の知識が必要になる一方で、投資家も財務情報を中心とする企業情報の

分析のために同様の知識を身につける必要があります。今やビジネスに国境（Border）は無く、明治維新や1945年の終戦時と同様のビジネスチャンスの時代です。こうした時代においては変化（Change）とチャンス（Chance）とは同義であるともいえ、こうしたグローバル・ドリームの時代における成功のキーワードは、1）自信（Confidence）をもつこと、2）将来の夢（Dream）をもつこと、および3）夢に向かって行動（Action）することであり、行動の第一歩は勉強という自己投資にほかなりません。

　英文簿記・英文会計の学習や米国公認会計士（CPA）の取得は、転職を有利に導いたり起業のための有利な手段です。経済社会にはさまざまなリスク（Risk）が当然に存在しますが、簿記・会計等の専門知識をもつことによりある程度回避（軽減）することが可能になります。

　本書が取り扱う英文簿記の学習を通して、1日も早く皆さんが成功への第一歩を踏み出されることを願ってやみません。

ANJOインターナショナル代表

安生浩太郎

英文簿記入門　目次

第2章 売掛金と買掛金
(Accounts Receivable and Accounts Payable)

第3章 棚卸資産(Inventory)

第4章　固定資産 (Noncurrent Assets)

第5章　精算表の作成手順 (Work Sheet Procedures)

カバーデザイン／笹森　識
本文イラスト／伊藤　昌美
DTP製作／（株）エトヴァス

第 1 章

簿記理論と財務諸表
Basic Theory and Financial Statements

1 簿記 (Bookkeeping) とは何か

　簿記とは簡潔にいうと帳簿の付け方のことで、英語の"Book Keeping"を日本語に訳した言葉である。

　英語のBookは「帳簿」、Keepingは「管理する」という意味がある。つまりBookkeepingとは「帳簿を管理すること」である。この帳簿とはどういう帳簿かというと、これは会社（Company）の帳簿である。簿記とは会社の帳簿を管理することであり、企業活動を継続的に記録、計算、整理するための技法である。つまり簿記記録は、会社の日々の営業記録であり、金額を用いて計数的に記録したデータなのである。

　いかなる会社でも帳簿をつける必要があり、簿記の知識を持った人が必要である。そして実際に帳簿をつけるのは一般的には経理部の人だが、簿記の知識が生きるのは経理担当者だけではない。確かに帳簿をつける技術のみの習得ならば経理の仕事しかできないが、さらに進んで会計も勉強し、財務諸表がつくれ、かつ分析できるようになれば、どんな部署の仕事にも役に立つ。

　例えば、財務諸表を読める経営者は、自分の会社が果たして儲かっているのか、子会社はどうなのか、取引先やライバル会社についても判断ができ、スピーディな決断を下すことができる。また、営業マンにしても取引先に対して、より深い分析に基づいたアピールができるだろう。まさに簿記はビジネスの基礎知識であるといえる。

　早速、簿記の勉強を始めるが、その前に、簿記を理解するには会社における資金の流れを知っておく必要があるので、そこから解説していこう。

(1) 会社における資金の流れ（Cashflow of a Company）

　会社における資金（現金：Cash）の流れ（入出金）をキャッシュフロー

12

（Cashflow）と呼ぶ。Cashは現金、flowは流れを指す。Cashflowは重要な流れである。なぜなら、会社におけるCashflowは人間でいうと血液（Blood）と同じで、常に滞ることなく、循環していなくてはならないからである。人間が血液がないと生きていけないのと同様に、会社もまた、Cashflowがスムーズにいかないと存続できないのである。いくら会社が儲かり黒字であったとしても、Cashの流れがスムーズにいかず、資金繰りに困って支払いができなければ、会社の死、すなわち「倒産」（Bankruptcy）ということもありえる。会社を経営（Management）していくうえで、Cashflowを把握していくことが非常に重要である。

キャッシュフローの概念

企業における現金の流れは、人間における血液の流れにたとえられる。血液の流れが止まると人間が死ぬように、現金の流れが滞ると企業もまた同様で、維持していくことができなくなる。

（2）企業活動と資金の流れ

　ここでは会社のもっとも代表的な形態である株式会社を例にあげ、企業活動と資金の流れを見ていくことにしよう。

　15ページの図にあるとおり、株式会社の現金の流入には、自己資本による資金調達、すなわち株主による投資、他人資本による資金調達、す

なわち銀行による融資、及び商品の売上がある。一方、現金の流出には商品の仕入、設備の購入がある。これらすべての経済活動をまとめて表すために財務諸表（Financial Statements : F/S）を発行（Issue）するのである。財務諸表はいわば企業の成績表であり、貸借対照表（Balance Sheet : B/S）、損益計算書（Income Statement : P/L）、キャッシュフロー計算書（Statement of Cash Flows : C/S）の3種類がある。

　まず、会社設立にあたっては資金が必要である。右の図の①、②は株式会社における資金の調達による現金（Cash）の流れを表している。株式会社における資金の調達には、次の2種類の方法がある。

①自己資本による資金調達

　自己資本とは、会社の所有者である株主（Stockholders）からの投資によるもので、会社にとって資本金（Stockholders' Equity）となるものである。

　会社はいったい誰のものかというと、必ずしも社長のものではない。会社の所有者は株主であり、株主の出したお金が会社の設立に必要な資金となるのである。

　会社は株主から現金（Cash）を払い込んでもらう代わりに、株式（Stock）を発行し、資本を調達する。株式を持っている人を株主（Stockholders）という。なお、株の値段（株価）が値上りすれば、売却して利益を得ることができる。株価は基本的には企業の業績によって上下する。投資した会社の業績が上がれば、それに応じて株価が上がり儲かるというわけである。最近の大きな成功例として、アメリカのマイクロソフト社がある。ただし、会社の業績が悪化し、株価が下がれば損をし、最悪の場合、倒産して株が紙きれになってしまうというリスクも負っているのである。

　この資金は会社が存続する限り、原則として誰にも返済する必要がなく、また利息（Interest）の支払いも生じない。ただし、会社は株主（Stockholders）に対して配当金（Dividends）を支払う。

②他人資本（Debt）による資金調達

14

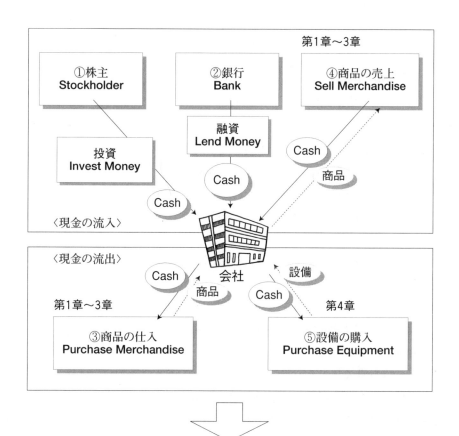

上記のようなすべての経済活動をまとめて
財務諸表（Financial Statements：F/S）を発行（Issue）する

Financial Statements
（企業の成績表）
| B/S：貸借対照表（Balance Sheet）
| P/L：損益計算書（Income Statement）
| C/S：キャッシュフロー計算書（Statement of Cash Flows）

　他人資本とは、会社の外部の人から借り入れた資金で、主に銀行から
の借入である。

　売上などで企業の業績が伸びて、ある程度信用がついてくれば、会社
の外部から資金を借り入れることができるようになる。この借入金は一
定期日に返済することを要し、また借入期間に対応した利息（Interest）
を支払わなければならない。借入は多すぎると問題であるが、ある一定

額までならば、通常行われている資金調達法である。

　以上のように、会社は株主や銀行から集めた資金を利用して営業活動（Operating Activities）を行うことになる。営業活動には、商品の仕入、商品の売上、設備の購入などがある。

　なお、ここで想定している会社（Company）は、完成した商品（Merchandise）を仕入（Purchase）れて、それを販売（Sell）する会社である。その他に、会社にはメーカー、つまり商品をつくってそれを販売する製造業（Manufacturer）もあるが、商品を製造する際に複雑な原価計算（Cost Accounting）を行うことになるので、ここでは販売会社を想定して説明することにしたい。

　前ページの図の③、④、⑤は会社の営業活動に関係する現金（Cash）の流れを表している。

③商品の仕入（Purchase Merchandise）

　商品の仕入（Purchase）に伴い、会社からは現金（Cash）が流出する。ただし物を購入してそれまでというのでは、企業活動としては何の意味もない。会社は営利目的なので、利益を出し、それを資金にしてどんどん会社を大きくしていくのである。そうして儲かれば株主に配当金を支払うことになる。会社を大きくするには儲けなければならない。そうなると、買ってきた値段、つまり原価より高い値段で売らなければならない。

④商品の売上（Sell Merchandise）

　会社は仕入れた商品を販売（Sell）することにより、営業が成り立つ。例えば＄80で商品を仕入れ、それに利益（Profit）を上乗せして＄100で販売する。これにより＄20の利益が出る。通常、＄80で商品を買い、＄70で売るというようなことはしない（ただし、例外としてまったく売れないよりはいいのでディスカウントすることもある。例えば、スーパーの閉店時や航空チケットなど）。売上とは、商品の引渡しをする代わりに現

金(Cash)が流入することを意味する。仕入れた商品を売ることができ
ないと、現金が流出するだけで、ついには支払いができなくなり会社は
倒産してしまう。

⑤設備の購入(Purchase Equipment)

会社が営業活動を行うために必要なもののなかに設備(Equipment)な
どがあり、設備を購入(設備投資)すれば、現金(Cash)が流出する。設
備投資分を回収できないと経営に苦労することになる。

以上、企業活動と大まかな資金の流れを見てきたが、会社の資金の流
れ(Cashflow)を把握することは重要である。なぜならそれによって会社
が現在どのような財政状態(Financial Position)にあるのか、黒字なのか
赤字なのか、どれだけの財産や借金があり、資本金があるのか、といっ
た会社の業績動向を把握することができるからである。そして、それを
会社の経営に役立てていくのである。

また、このような会社の取引を継続的に記録していくのが簿記
(Bookkeeping)であり、会社の営業活動、業績動向を集約的に表にした
ものが財務諸表(Financial Statements:F/S)—具体的には貸借対照表
(Balance Sheet:B/S)、損益計算書(Income Statement:P/L)、キャッシ
ュフロー計算書(Statement of Cash Flows:C/S)—である。これらを見れ
ば、企業の業績が容易に把握できるのである。また会社は、貸借対照表
(Balance Sheet)や損益計算書(Income Statement)、キャッシュフロー計
算書(Statement of Cash Flows)が会社の業績動向を的確に示すことがで
きるように、会計上のルールに従って簿記記録を行っていくのである。

(3) 会計原則(Accounting Principles)

会計では一定のルールに基づいた財務諸表を作成する必要がある。例
えばスポーツでもサッカーならサッカー、野球なら野球で一定のルール
があるからこそゲームが成り立ち、どのチームが強いかがわかる。どの

会社が本当にいい業績をあげているかが誰にでもわかるように、会計で
も一定のルールを設けている。この「会計上のルール」を会計原則
(Accounting Principles)という。

　アメリカでは会計原則をGenerally Accepted Accounting Principles
(GAAP)「一般に公正妥当と認められた会計原則」という。

　具体的にはFinancial Accounting Standards Board (FASB): 財務会計基
準審議会などの公式の意見書などを指す。

　"一般に認められた"とは、権威のあるものとしての認識を与えられた
という意味である。

　会計原則とは、会計処理を行うにあたって必要となる基本的な体系で
あり、会計手続きが従うべき規範である。また会計原則は、公認会計士
(CPA)が企業の財務諸表の監査(Audit)を行う際に、適正性に関しての
判断基準ともなる。そして経済環境の変化などに対応して、改定が繰り
返されていくものである。

2 財務諸表(Financial Statements:F/S)とは

　財務諸表(Financial Statements : F/S)とは、簿記記録を基礎データと
して作成し、会社の業績動向を集約的に一覧表にした計数表である。簡
単にいえば、その会社がどれくらい儲かったか、損をしたか、財産、借
金、資本がどれくらいあるかなどを表した会社の成績表である。

　しっかりとした簿記記録が用意されることによって、会社の業績動向
を正確に表示する財務諸表を作成できるのである。そして財務諸表を的
確に読むことによって、会社の必要な情報を得ることができるのである。

　アメリカでは、財務諸表が非常によく利用されている。融資、投資、
企業買収、取引調査、経営者の業績評価などに際して、財務諸表が重要

な役割を果たしている。財務諸表の利用度が高ければ高いほど、その作成のルール、会計原則がしっかりとしたものでなければならない。それゆえにアメリカでは財務諸表に対する意識が非常に高いのである。

(1) 会計期間（Accounting Period）

企業は永久に存続することを前提としているため、財務諸表を作成する際には、期間を定めて区切らなければならない。学校の成績表と同じように、いつからいつまでの成績なのか、という期間を決める必要がある。これを会計期間と呼ぶ。

一会計期間(Accounting Period)とは、アメリカの場合、通常1月1日から12月31日までの1年間である。そして1月1日のことを期首（Beginning of Year）、12月31日のことを期末(End of Year)、または決算日という。

会計期間内に会社の内外で発生した事象を会計取引としてとらえ、これを適切に記録、分類、集計し、各種財務諸表（Financial Statements）——通常、Annual Report(年次報告書)と呼ばれるもの——を発行することになる。

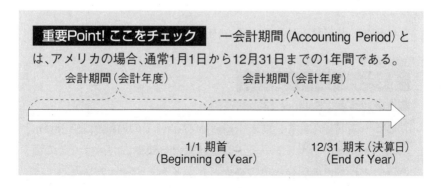

重要Point! ここをチェック 一会計期間（Accounting Period）とは、アメリカの場合、通常1月1日から12月31日までの1年間である。

会計期間（会計年度） 会計期間（会計年度）

1/1 期首
(Beginning of Year)

12/31 期末（決算日）
(End of Year)

一方、日本の場合は、会計期間が4月1日から翌3月31日までの1年間の会社が多い。

(2) 財務諸表（Financial Statements：F/S）の種類

財務諸表（Financial Statements：F/S）は、簿記記録を集大成して作成される会社の成績表であるが、これには貸借対照表（Balance Sheet：B/S）、損益計算書（Income Statement：P/L）、キャッシュフロー計算書（Statement of Cash Flows：C/S）の3種類がある。これらは会社の業績動向を正確に、簡潔に一覧表示したものである。

暗記項目！これだけは覚えろ

財務諸表(F/S)には3種類ある。

● 貸借対照表：Balance Sheet（B/S）

● 損益計算書：Income Statement（P/L）

● キャッシュフロー計算書：Statement of Cash Flows（C/S）

このうち、損益計算書は英国圏ではProfit and Loss Statement、略してP/Lというが、米国圏では現在、Income Statementという言い方が主流となっている。しかし略称だけはP/Lという言い方を使う場合が多い。

これらの財務諸表を的確に読むためには、それぞれの報告書の特徴を知るとともに、その作成に至る固有の約束（会計原則）を知らなければならない。

それぞれの財務諸表は次のような内容を示している。

重要Point! ここをチェック

● 貸借対照表：Balance Sheet（B/S）

ある一定時点（通常、期末：End of Year）での財政状態（Financial Position）を表している。財政状態とは簡単にいえば、その会社にどれだけの財産や借入金などがあるかということである。

●損益計算書：Income Statement（P/L）

　一定期間（通常、１年間）の経営成績（Operating Results）を表している。経営成績とは、会社がどれだけ利益をあげたか、または損失を発生させたかということである。

●キャッシュフロー計算書：Statement of Cash Flows（C/S）

　一定期間（通常、１年間）の現金の流れを表している。つまり、会社がどのようにして現金をいくら受取り、何にいくら支払ったかを知ることができる。

　このように、それぞれの財務諸表（F/S）が示す内容は異なっている。したがって、例えば損益計算書（P/L）で見ると会社は儲かっているが、貸借対照表（B/S）で見ると借金が多いとか、逆に、貸借対照表（B/S）で見ると財産は多いが、損益計算書（P/L）で見るとあまり儲かっていない、というような場合もある。

　また、同じ現金が入るにしても、株主からの出資と商品を売って入ってくる売上、自社ビルの売却代金ではそれぞれ意味合いが異なる（キャッシュフロー計算書を読む人はそうした分析が必要である）。

　次に３つの財務諸表を１つひとつ、具体的に説明していくことにしよう。

財務諸表（Financial Statements：F/S）の目的＝企業（Company）の成績を示す

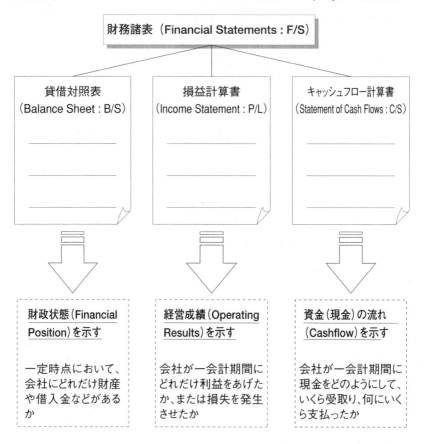

(3) 貸借対照表（Balance Sheet：B/S）

重要Point! ここをチェック　　貸借対照表（Balance Sheet：B/S）の目的は一定時点（決算日、通常は12月31日）における企業の財政状態（Financial Position）、つまり企業にどれだけ財産や借金などがあるかを示すことであり、資産（Assets）、負債（Liabilities）、資本（Stockholders' Equity）で構成されている。

①資産（Assets）

　資産（Assets）とは、会社が営業活動を行うにあたっての経済的資源（The economic resources of the business）である。

　会社は営業活動を行うために、現金（Cash）、棚卸資産（Inventory）、建物（Building）、土地（Land）、機械（Machine）などのいろいろな財産や、財産請求権などの権利を所有している。これら財産や権利を総称して資産（Assets）という。

　ここでいう権利とは目に見えない無形の財産で、例えば特許権は、その特許権があることによって将来特許料が入ってくるので、会社にとって資産価値がある。そのほか商標権や著作権も無形の財産である。

②負債（Liabilities）

　負債（Liabilities）とは、会社が営業活動を行うにあたっての債務（The debts of the business）である。

　会社は借金をしたり、代金後払いで商品を仕入れたりするが、借金は将来必ず返済しなければならないし、商品の購入代金は将来必ず支払わなければならない。このように負債（Liabilities）とは、返済義務や支払義務が会社にあることを表している。まだ学習していない事柄ではあるが、買掛金（Accounts Payable）、社債（Bonds Payable）など、会社が外部の第三者に対して、債務として負っている金額をいう。

　ただし、借入金があるからといって悪い会社かといえば、そうではない。例えば住宅ローンを抱えている人は財政的に破綻した人かといえばそうではないわけで、会社についても同様である。

③資本（Stockholders' Equity）

　資本（Stockholders' Equity）とは資産（Assets）と負債（Liabilities）の差額であり、株主の持分（The owner's interest in the business）である。また、資本は同時に会社としての価値も表している。

　会社が事業を行うために、経営者自らが資金を出すこともあるし、他

人から事業資金を提供してもらって株式を発行する場合もある。資本は資産(Assets)と負債(Liabilities)の差額としてとらえることもできるため、これを純資産(Net Assets)ともいう。

　近年、アメリカでは貸借対照表(B/S)重視の傾向が顕著になってきている。今まではどちらかといえば損益計算書(P/L)が重要視されてきたが、会社の損益よりは財政状態が重要ではないかというのが最近の流れになってきている。資産(Assets)、負債(Liabilities)、資本(Stockholders' Equity)の概念をしっかりと把握し、貸借対照表(B/S)を的確に読めるようにならなければならない。

　貸借対照表(B/S)は、下図のように左右に分けて示すことができる。この場合、左側に資産(Assets)、つまり会社の財産を表し、右側上に負債(Liabilities)、つまり借金などがどれぐらいあるのか、右側下に資本(Stockholders' Equity)、つまり会社の価値を表す。

暗記項目！ これだけは覚えろ

貸借対照表 (B／S)

Assets（資産）	Liabilities（負債）
財産(Cash；現金、Land ；土地など)や権利 会社にとっての経済的資源 (The economic resources of the business)	借金など(支払わなければいけないもの) 会社にとっての債務 (The debts of the business)
	Stockholders' Equity（資本） 資産(Assets)と負債(Liabilities)の差額 (Net Assets・Capitalともいう) 株主の持ち分＝会社の価値

24

左の図は、次のように言い換えることができる。貸借対照表（Balance Sheet）の右側は、会社を経営していくために必要な資金をどのように調達したのか（借金なのか、株主からの払い込みによるのか）を表し、左側は、その調達した資金を運用した結果、何が残っているのか（資産）を表している。つまり会社は、借金や株式発行により資金を調達し、資産を購入すると考えられるのである。

　そして、重要なのは貸借対照表の左側と右側は必ず一致するという点である。これら3つの基本的要素の関係は、次のような会計等式によって表される。

暗記項目！これだけは覚えろ

資産（Assets）＝ 負債（Liabilities）＋資本（Stockholders' Equity）

資本（Stockholders' Equity）＝ 資産（Assets）－負債（Liabilities）

重要Point! ここをチェック　　さらに忘れてはならないのは、貸借対照表が、残高を示すものであるということである。

貸借対照表に計上されている資産や負債、資本は、その一定時点（通常期末の12月31日）の財政状態を示すものであるから、当期に取得した資産であっても、10年前に取得した資産であっても、貸借対照表を作成する一定時点（通常期末）にその資産が資産として残っていれば計上される。

これは負債、資本についても同様である。つまり、貸借対照表の項目は累積する（Accumulate）のであり、一定時点での残高を示すのである。

　ここで、貸借対照表（B/S）の3つの要素について、実際に数字を入れてみよう。

《例 1 》

　ある会社の資産（Assets）が＄500、負債（Liabilities）が＄0であったと
する。この場合、資本（Stockholders' Equity）は＄500である。

> 資本（Stockholders' Equity）＝資産（Assets）－負債（Liabilities）
> 　　　　　　　　　　　　　　＝＄500－＄0
> 　　　　　　　　　　　　　　＝＄500

　　　　　　　　　　　　→この会社の価値は＄500である。

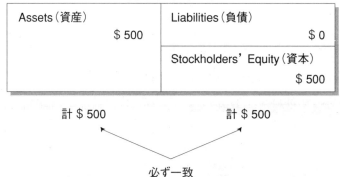

貸借対照表（B/S）

Assets（資産）	Liabilities（負債）
＄500	＄0
	Stockholders' Equity（資本）
	＄500

計＄500　　　　　　　　　計＄500

必ず一致

　しかし、通常は、会社の資金調達を、全額資本（Stockholders' Equity）
によって行うということはない。一部は負債（Liabilities）によって資金
を調達するのが一般的である。

《例 2 》

　資産（Assets）が例 1 と同じ＄500で、借金（Liabilities）が＄0ではなく
＄300であったとする。

　この場合、資本（Stockholders' Equity）は＄200である。

資本（Stockholders' Equity）＝資産（Assets）－負債（Liabilities）

> 　　　　　　　　　　　　　　＝＄500－＄300
> 　　　　　　　　　　　　　　＝＄200

　　　　　　　　　　　　→この会社の価値は＄200である。

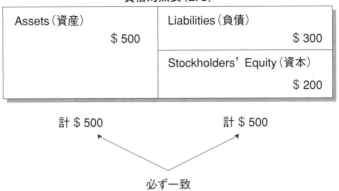

貸借対照表（B/S）

Assets（資産）$ 500	Liabilities（負債）$ 300
	Stockholders' Equity（資本）$ 200

計 $ 500　　　　　　　　　計 $ 500

必ず一致

(4)　損益計算書（Income Statement：P/L）

重要Point! ここをチェック　損益計算書（Income Statement ：P/L）の目的は企業の経営成績：Operating Results（企業の利益もしくは損失）を示すことであり、一会計期間（通常は1月1日〜12月31日）に属する収益（Revenues）と費用（Expenses）で構成されている。

①収益（Revenues）

収益（Revenues）とは、会社が営業活動を行って稼いだ成果である。これには売上（Sales）、受取家賃（Rent Revenue）などがある。

②費用（Expenses）

費用（Expenses）とは、企業が営業活動を行うためにかかるコストである。つまり、利益をあげるための営業活動に必要な支払いを費用（Expenses）という。これには給料（Salaries Expense）、支払家賃（Rent Expense）、広告宣伝費（Advertising Expense）などがある。

損益計算書（P/L）も、貸借対照表（B/S）と同じように左右の2つの部分に分けて示すことができる。この場合、右側に収益（Revenues）、つまり会社がどれだけ稼いだかを表示し、左側にかかった費用（Expenses）を表示する。そして、収益（Revenues）と費用（Expenses）の差額が当期純利益（Net Income）となる。

　つまり損益計算書（P/L）とは、一会計期間中（通常は1月1日～12月31日）に実現した総収益（Total Revenues）から、対応する総費用（Total Expenses）を控除し、その期間の純損益を表示する計算書である。

暗記項目！ これだけは覚えろ

損益計算書（P／L）

Expenses（費用）	Revenues（収益）
営業活動を行うためにかかるコスト	会社が稼いだ分
例：仕入れ（Purchases）	例：売上（Sales）
支払家賃（Rent Expense）	受取家賃（Rent Revenue）
支払利息（Interest Expense）	受取利息（Interest Revenue）

Net Income（当期純利益）

利益（Net Income）＝
　　　収益　　－　　費用
　　（Revenues）（Expenses）

収益＞費用‥‥▶‥利益
収益＜費用‥‥▶‥損失

　もしも、収益（Revenues）よりも費用（Expenses）の方が大きかった場合、差額はマイナス、損失が出ていることになる。これを当期純損失（Net Loss）という。

　損益計算書（P/L）に計上されている費用（Expenses）・収益（Revenues）は、一会計期間（通常は1月1日～12月31日）のみに属する費用や収益なので、新たな会計期間になれば新たな費用や収益を計上する。損益計算

書の項目は貸借対照表とは異なり累積(Accumulate)しない。

例えば98年に＄1,000の収益(Revenues)があったとしても、99年に＄1,000からスタートするのではない。また＄0からスタートして99年の損益を計算することになる。

それでは損益計算書(P/L)についても、実際に数字を入れてみよう。

《例1》

ある期間の収益(Revenues)が＄1,000、それに伴う費用(Expenses)が＄800であったとする。

この場合、当期純利益(Net Income)は＄200である。

$$当期純利益(Net Income)＝収益(Revenues)－費用(Expenses)$$
$$＝＄1,000－＄800$$
$$＝＄200$$

損益計算書(P/L)

Expenses(費用)	Revenues(収益)
＄800	＄1,000
Net Income(当期純利益) ＄200	

Revenues	1,000
Expenses	(800)
Net Income	200
( )はマイナスを表す	

《例2》

収益(Revenues)が例1と同じ＄1,000で、費用(Expenses)が＄1,200かかったとする。

この場合は、利益ではなく損失、つまり当期純損失（Net Loss）が
＄200発生したことになる。

当期純損失（Net Loss）＝収益（Revenues）－費用（Expenses）
$$= \$1,000 - \$1,200$$
$$= -\$200$$
※マイナスなので当期純損失（Net Loss）

損益計算書（P/L）

Expenses（費用）	Revenues（収益）
＄1,200	＄1,000
	Net Loss（当期純損失）
	＄200

Revenues	1,000
Expenses	（1,200）
Net Loss	（200）
（　　　）はマイナスを表す	

　貸借対照表、損益計算書について比較してまとめてみると次のように
なる。

貸借対照表（Balance Sheet：B/S）
　一定時点（期末、通常12月31日）の財政状態（Financial Position）を
示す。
　貸借対照表（B/S）は累積する。

損益計算書（Income Statement：P/L）
　一定期間（1年間、通常1月1日～12月31日）の経営成績
（Operating Results）を示す。
　損益計算書（P/L）は累積しない。

(5) キャッシュフロー計算書（Statement of Cash Flows：C/S）

　キャッシュフロー計算書（Statement of Cash Flows：C/S）は一会計期間（通常1月1日〜12月31日）の現金（Cash）の流れ（キャッシュフロー）を示すものであり、経営活動の種類ごとに分類して要約する計算書である。

　これによって、一会計期間（通常1月1日〜12月31日）において、①Cashがどこから入ってきたか、②Cashを何に使ったか、③結果としてCashは増えたか、減ったかといったことがわかる。

一会計期間
（通常1/1〜12/31）
において

1. Cashがどこから入ってきたか
2. Cashを何に使ったか
3. 結果として、Cashは増えたか、減ったか

がわかる

　ところで日本において、一般に財務諸表（F/S）といえば、これまでは貸借対照表（B/S）と損益計算書（P/L）だけであった。キャッシュフロー計算書（C/S）については日本では基本的には作成が義務づけられていなかったからである（注：2000年3月期より上場企業などは連結キャッシュフロー計算書の作成が義務づけられた）。また、今までは日本経済は右肩上がりに発展してきたので、現金の流れというものをあまり気にせずに経営してきた会社が多い。しかし、今後は現金の流れ（Cashflow）を重視した経営が極めて重要になってくる。

(6) 財務諸表（Financial Statements：F/S）の目的

　では、財務諸表（F/S）はどういった目的で作成されるのであろうか。企業（会社）は外部の人々にその会社の財務情報を提供するために、財務諸表（F/S）を作成し、発行（Issue）するのである。

　会社はその財政状態（Financial Position：B/S）や経営成績（Operating Results：P/L）や資金（現金）の流れ（Cashflow：C/S）を財務諸表（Financial Statements：F/S）を通して的確に開示（Disclosure）する義務がある。財

務諸表は外部の人が経営の実態を的確に判断できるよう、経営状態を明瞭かつ簡潔に表したものでなくてはならない。

　一方、企業外部の人々（株主、投資家、債権者などの利害関係者）は、それらの情報をもとに、その企業に対する自らの行動（投資、融資など）を決定することができるのである。

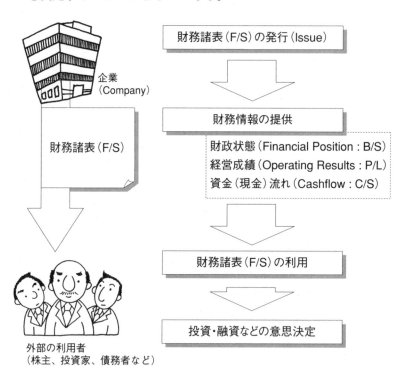

外部の利用者
（株主、投資家、債務者など）

(7) 財務諸表の主な利用者

　企業の利害関係者は、財務諸表（Financial Statements：F/S）によって企業の有用な情報を得ることができる。その利害関係者とは会社の外部の人々であり、具体的には、株主、アナリスト、投資家、債権者（銀行など）、政府機関などがあげられる。

　株主（Stockholders）は自らが投資した企業の成績を、債権者は債務者である企業の成績を、アナリストや投資家は投資対象としての企業の成

績を財務諸表(F/S)を通して知ることができる。また、監督官庁である政府機関(税務当局など)も、財務諸表(F/S)によって企業の成績を知ることができる。それぞれの目的のために財務諸表(F/S)は使われることになる。

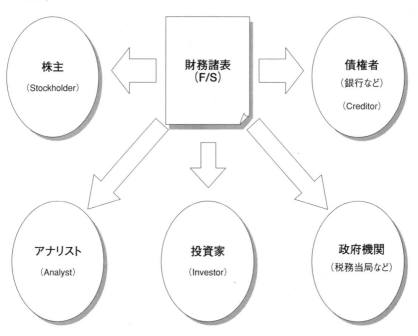

(8) 会計期間による財務諸表(F/S)のタイプ

先にも述べたように、財務諸表(F/S)を作成する場合、いつからいつまでの期間の財務諸表(F/S)なのか、期間を決める必要があった。これが会計期間である。通常アメリカでは一会計期間は1年間であるが、実際には、年度の途中でも財務諸表(F/S)が作成される。その期間によって、年次報告書(Annual Report)、中間財務諸表(Interim Financial Statements)、四半期報告書(Quarterly Statements)の3つのタイプに区別される。年次報告書 (Annual Report)とは、1年間ごとの企業の報告書である。中間財務諸表(Interim Financial Statements)とは、1年を会

計期間とする企業が会計期間の中間において作成する財務諸表（F/S）である。Quarterly Statements（四半期報告書）とは、四半期ごとに作成する財務諸表（F/S）である。アメリカでは、四半期ごとに財務諸表（F/S）を提出することが義務づけられている。

アメリカでは、会社は株主（Stockholders）のものであり、財務諸表（F/S）を通して、株主に経営状態を開示（Disclosure）していく義務があるといった考え方が浸透している。しかも、現代では経済状況の変化のスピードが速いので、四半期ごとに財務諸表を作成し、最新の情報を提供しなくてはならないということなのである。

《例》

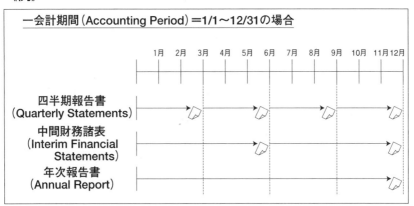

一会計期間（Accounting Period）＝1/1～12/31の場合

四半期報告書（Quarterly Statements）
中間財務諸表（Interim Financial Statements）
年次報告書（Annual Report）

3　簿記（Bookkeeping）の基本

それでは、いよいよ簿記（Bookkeeping）の具体的な仕組みについて、解説していくことにしよう。

（1） 取引（Transaction）と簿記（Bookkeeping）

重要Point! ここをチェック　企業は毎日数多くの取引（Transaction）を行っているが、それらをすべて文章で記録していくのは非常に煩雑である。また、取引の数が非常に多いため、文章上の記録では概観性に欠け、会社の全容が見えない。

そこで一定のルールを決めて簡潔に記録する必要が生じてくる。このルールが簿記（Bookkeeping）である。

簿記で記録するという観点から見た場合、取引（Transaction）とは何か。つまり、簿記記録の対象となる企業活動とは何か。

それは、資産（Assets）、負債（Liabilities）、資本（Stockholders' Equity）に変動をもたらす活動である。また、取引（Transaction）は金額で表示できるものでなくてはならない。

取引の例としては次のようなものがあげられる。

・商品を販売（Sale）して現金（Cash）を受け取る取引
・商品を購入（Purchases）して現金（Cash）を支払う取引
・機械（Machine）を購入（Purchases）して現金（Cash）を支払う取引
・銀行（Bank）から現金（Cash）を借りる取引

（2） 勘定科目（Account）

重要Point! ここをチェック　簿記においては、取引を効率的に把握、分類するために勘定科目（Account）が用いられる。

勘定科目（Account）とは、資産（Assets）・負債（Liabilities）・資本（Stockholders' Equity）・収益（Revenues）・費用（Expenses）に属する個々の項目〔例えば資産（Assets）なら現金（Cash）、土地（Land）etc.〕についての増減や残高を記録する単位をいう。

また、勘定科目を省略して「勘定」と呼ぶことがある。

なお、それぞれの会社（Company）では、通常、簿記記録に必要とされる勘定科目（Account）は番号をつけて一覧表にされている。この一覧表を勘定科目表（Chart of Accounts）という。

勘定科目（Account）を管理するうえでつける番号〔例えば、101.現金（Cash）、130.土地（Land）など〕は会社により異なる。会社が独自に勘定科目を決め、勘定科目表（Chart of Accounts）を作成しているのである。業種が違えば使用する勘定科目も違ってくるので、会社ごとに違うというわけである。

勘定科目表（Chart of Accounts）の例

101 Cash（現金）	400 Sales（売上）
130 Land（土地）	500 Purchases（仕入）
131 Building（建物）	600 Salaries expense（給料）
	601 Rent expense（支払家賃）
	800 Interest expenses（支払利息）

（3）仕訳（Journal Entry）

簿記（Bookkeeping）の基本は取引（Transaction）を仕訳（Journal Entry）することから始まる。

①仕訳（Journal Entry）とは

重要Point! ここをチェック 仕訳（Journal Entry）とは、取引を借方（カリカタ：Debit）と貸方（カシカタ：Credit）に分解して記録することである。

借方（Debit）は仕訳の左側に、貸方（Credit）は右側に記入することである。

　仕訳の基本は複式簿記（Double-Entry Bookkeeping）、すなわち同じ金額を 2 回記入するところにある。2 回とは、借方：カリカタ（Debit）と貸方：カシカタ（Credit）の両側に記入するという意味である。

　複式簿記（Double-Entry Bookkeeping）とは取引（Transaction）の持つ二面性に着目し、取引を二面的に記録する技術である。そしてこの二面的記録は、仕訳（Journal Entry）によって行われる。

《例》

　例えば「土地（Land）$ 50,000 を現金（Cash）で購入（Purchases）した」という取引（Transaction）があったとする。この取引の結果、会社に $ 50,000 分の土地が増える。しかし、それと同時に会社の現金が $ 50,000 減る。

　つまり、この取引には次のような 2 つの要素が入っている。

　①$ 50,000 分の土地が増えた。②現金 $ 50,000 が減った。

・$ 50,000 分の土地が増えた
・現金 $ 50,000 が減った

現金（Cash）$ 50,000

会社　　　　　売主

土地（Land）を $ 50,000 で購入

このように、取引には2つの側面がある。

　そしてこの例を仕訳すると次のようになる（具体的な仕訳の考え方については後述する）。

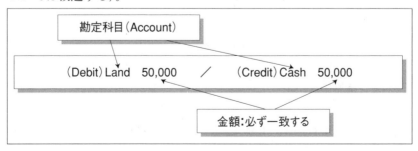

勘定科目（Account）

（Debit）Land　50,000　　／　　（Credit）Cash　50,000

金額：必ず一致する

②仕訳（Journal Entry）の仕方

　それでは、実際に取引を仕訳（Journal Entry）するにあたって、何を借方（Debit）に記入し、何を貸方（Credit）に記入すればいいのだろうか。それは、勘定科目（Account）によって決まってくる。

　それぞれの勘定科目（Account）には、その性質によって本来あるべき「側」が決まっている（通常、残高として残る側）。仕訳（Journal Entry）のとき、借方（Debit）に記入するのか、あるいは貸方（Credit）に記入するのかは、その勘定科目（Account）が資産（Assets）、負債（Liabilities）、資本（Stockholders' Equity）、収益（Revenues）、費用（Expenses）という分類のどれに属しているかによって判断できる。

<貸借対照表(B/S)項目⇒資産(Assets)・負債(Liabilities)・資本(Stockholders' Equity)>
　貸借対照表（B/S）において、資産（Assets）は借方（Debit）側の項目であり、負債（Liabilities）と資本（Stockholders' Equity）は貸方（Credit）側の項目である。

貸借対照表（B/S）

Debit（借方）	Credit（貸方）
資産（Assets）	負債（Liabilities）
	資本（Stockholders' Equity）

●資産（Assets）

　資産（Assets）は本来、借方（Debit）側の項目であり、その増加（Increase）は借方（Debit）側に記録され、減少（Decrease）は貸方（Credit）側に記録される。

資産（Assets）	
Debit（借方）	Credit（貸方）
増加（Increase）	減少（Decrease）

　例えば、現金（Cash）、土地（Land）、建物（Building）、機械（Machine）

などが増加（Increase）したら借方（Debit）側に記入され、減少（Decrease）したら貸方（Credit）側に記入される。

●負債（Liabilities）●資本（Stockholders' Equity）

負債（Liabilities）・資本（Stockholders' Equity）は本来、貸方（Credit）側の項目であり、その増加（Increase）は貸方（Credit）側に記録され、減少（Decrease）は借方（Debit）側に記録される。

負債（Liabilities）	
Debit（借方）	Credit（貸方）
減少（Decrease）	増加（Increase）

資本（Stockholders' Equity）	
Debit（借方）	Credit（貸方）
減少（Decrease）	増加（Increase）

例えば、会社が借金をしたら貸方（Credit）側に記入し、借金を返済したら借方（Debit）側に記入することになる［負債（Liabilities）の場合］。

ここでは、なぜこうなったのかはひとまず置いて、ルールとしてこのパターンを覚えてほしい。

＜損益計算書（P/L）の項目⇒費用（Expenses）・収益（Revenues）＞

損益計算書（P/L）において、費用（Expenses）は借方（Debit）側の項目であり、収益（Revenues）は貸方（Credit）側の項目である。

損益計算書（P/L）

Debit（借方）	Credit（貸方）
Expenses（費用）	Revenues（収益）
Net Income（当期純利益）	

●費用（Expenses）

費用（Expenses）は本来、借方（Debit）側の項目であり、費用（Expenses）

費用（Expenses）	
Debit（借方）	Credit（貸方）
費用（Expenses）の発生	

の発生は借方(Debit)側に記録される。

　例えば、商品を購入し、仕入(Purchases)という費用(Expenses)が発生した場合、借方(Debit)側に記入する。

●収益 (Revenues)

　収益(Revenues)は本来、貸方(Credit)側の項目であり、収益(Revenues)の発生は貸方(Credit)側に記録される。

収益(Revenues)	
Debit(借方)	Credit(貸方)
	収益(Revenues)の発生

　例えば、商品を販売し、売上げ(Sales)という収益(Revenues)が発生した場合、貸方(Credit)側に記入する。

《例》

> 　先ほどの「土地(Land)＄50,000を現金(Cash)で購入」という取引(Transaction)の仕訳(Journal Entry)の仕方をステップを追って考えてみよう。
>
> 　この取引の結果、会社は、＄50,000分の土地(Land)が増え、それと同時に会社の現金(Cash)が＄50,000減る。
>
>
>
> ・＄50,000分の土地(Land)が増えた。
> ・現金(Cash)＄50,000が減った。

　増えたものは土地(Land)で、減ったものは現金(Cash)である。土地(Land)も現金(Cash)も貸借対照表(B/S)の資産(Assets)の項目だから、増加すれば借方(Debit)側に、減少すれば貸方(Credit)側に記録される。

　したがってこの場合、土地(Land)は増えたので借方(Debit)側に、現

金（Cash）は減ったので貸方（Credit）側に記録され、次のような仕訳（Journal Entry）になる。

（Debit）Land 50,000 ／（Credit）Cash 50,000

金額は必ず一致する

■重要Point! ここをチェック　　仕訳（Journal Entry）は、最初に行われる帳簿記入であり、仕訳（Journal Entry）を記入する帳簿を仕訳帳（Journal）と呼ぶ。
仕訳は仕訳帳に、取引（Transaction）の発生順に記録される。

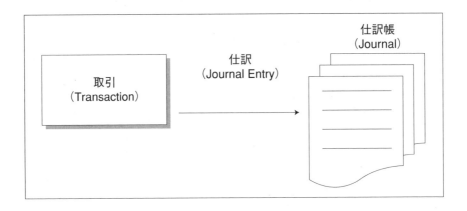

取引
（Transaction）

仕訳
（Journal Entry）

仕訳帳
（Journal）

（4） 仕訳（Journal Entry）の例

　ここでは、代表的な4つの取引（Transaction）について、具体例を使いながら、仕訳（Journal Entry）の仕方を解説していくことにする。

■重要Point! ここをチェック
仕訳（Journal Entry）の仕方のポイント
①勘定科目（Account）で記入する。

②勘定科目（Account）を借方（Debit）と貸方（Credit）に書き分ける。

③金額（Amount）を書き加える。

なお、借方（Debit）と貸方（Credit）の、どちらかわかりやすい方を先に考えるとよい。

①Purchases（仕入）取引

12月5日に商品（Merchandise）を＄800で購入（仕入：Purchases）し、代金を現金（Cash）で支払った（Paid）という例を取り上げてみよう。

現金（Cash）を支払うということは、資産（Assets）の減少（Decrease）である。資産（Assets）は貸借対照表（B/S）の借方（Debit）項目だから、増えれば借方（Debit）側に、減れば貸方（Credit）側に記入される。

したがって現金（Cash）の減少は仕訳の貸方（Credit）側に記入される。ここまでを仕訳に記入すると次のようになる。

(Debit)　XXX　800　／　(Credit)　Cash　800

金額は上のように借方（Debit）と貸方（Credit）に同じ金額（800）が入る。

次に、相手勘定を考える。商品を購入したときは仕入（Purchases）という勘定（Account）を使う。仕入（Purchases）は費用（Expenses）であり、損益計算書（P/L）の借方（Debit）項目だから、発生したら借方（Debit）側に記入する。この場合、商品（Merchandise）を購入して仕入（Purchases）という費用（Expenses）が発生したので借方（Debit）側に記入される。

12/5　(Debit) Purchases 800　／　(Credit)　Cash　800

これが完成した仕訳である。

注意すべき点は、商品を購入したときの費用は仕入（Purchases）という勘定（Account）を使うが、その他の費用（Expenses）は"〜Expense"という勘定（Account）を使うことである。

42

例えば、支払家賃ならRent Expense、支払利息ならInterest Expenseということになる。しかしPurchase Expenseという勘定（Account）は使わない。

②Sales(売上)取引

> 12月8日に商品（Merchandise）を＄1,000で販売（売上：Sales）し、代金を現金（Cash）で受取った（Received）という例を取り上げてみよう。

現金（Cash）を受取るということは資産（Assets）の増加（Increase）である。資産（Assets）は貸借対照表（B/S）の借方（Debit）項目だから、増加（Increase）したら借方（Debit）側に、減少（Decrease）したら貸方（Credit）側に記入される。

したがって現金（Cash）の増加は仕訳の借方（Debit）側に記入される。ここまでを仕訳に記入すると次のようになる。

12/8 | (Debit)　Cash　1,000　／　(Credit)　XXX　1,000

金額は上記のように借方（Debit）と貸方（Credit）に同じ金額（1,000）が入る。

次に相手勘定を考える。商品を販売したときは売上（Sales）という勘定（Account）を使う。売上（Sales）は収益（Revenues）であり、損益計算書（P/L）の貸方（Credit）項目だから、発生したら貸方（Credit）側に記入される。この場合、商品（Merchandise）を販売して売上（Sales）という収益（Revenues）が発生したので貸方（Credit）側に記入される。

12/8 | (Debit)　Cash　1,000　／　(Credit)　Sales　1,000

これが完成した仕訳（Journal Entry）である。

注意すべき点は、商品を販売したときの収益は売上（Sales）という勘定（Account）を使うが、その他の収益（Revenues）では"〜 Revenue"とい

う勘定(Account)を使うことである。

　例えば、受取家賃ならRent Revenue、受取利息ならばInterest Revenue
ということになる。しかし、Sales Revenueという勘定(Account)は使わ
ない。

③仕入(Purchases)以外の費用(Expenses)の発生

> 12月14日に家賃＄100を現金(Cash)で支払った(Paid)という例を
> 取り上げてみよう。

　現金(Cash)を支払ったので資産(Assets)の減少(Decrease)である。資
産(Assets)は貸借対照表(B/S)の借方(Debit)項目だから増加(Increase)
したら借方(Debit)側に、減少(Decrease)したら貸方(Credit)側に記入
される。したがって、現金(Cash)の減少は仕訳の貸方(Credit)側に記入
される。

　ここまでを仕訳に記入すると次のようになる。

12/14　(Debit)　　　XXX　　　100　　／　(Credit)　Cash　　100

　金額は上のように借方(Debit)と貸方(Credit)に同じ金額(100)が入る。
　次に相手勘定を考える。家賃の支払いは支払家賃(Rent Expense)とい
う勘定(Account)を使う。支払家賃(Rent Expense)は費用(Expenses)で
あり、費用(Expenses)は損益計算書(P/L)の借方(Debit)項目だから、
発生すれば借方(Debit)側に記入される。この場合、支払家賃(Rent
Expense)という費用(Expenses)が発生したので、借方(Debit)側に記入
される。

> (Debit) Rent Expense 100　／　(Credit)　Cash　100

これが完成した仕訳(Journal Entry)である。

④売上(Sales)以外の収益(Revenues)の発生

12月20日に利息＄200を現金(Cash)で受取った(Received)という例を取り上げてみよう。

現金(Cash)で受取ったので資産(Assets)の増加(Increase)である。資産(Assets)は貸借対照表(B/S)の借方(Debit)項目だから、増加(Increase)したら借方(Debit)側に、減少(Decrease)したら貸方(Credit)側に記入される。したがって、現金(Cash)の増加は仕訳の借方(Debit)側に記入される。

ここまでを仕訳に記入すると次のようになる。

12/20 (Debit) Cash 200 ／ (Credit) XXX 200

金額は、上記のように借方(Debit)と貸方(Credit)に同じ金額(200)が入る。

次に相手勘定を考える。利息の受取りは受取利息(Interest Revenue)という勘定(Account)を使う。受取利息(Interest Revenue)は収益(Revenues)であり、収益(Revenues)は損益計算書(P/L)の貸方(Credit)項目だから、発生したら貸方(Credit)側に記入される。この場合、受取利息(Interest Revenue)という収益(Revenues)が発生したので貸方(Credit)側に記入される。

12/20 (Debit) Cash 200 ／ (Credit) Interest Revenue 200

これが完成した仕訳(Journal Entry)である。

仕訳(Journal Entry)を行うときには、常にどれが貸借対照表(B/S)項目で、どれが損益計算書(P/L)項目かを考えながら行うくせをつけておくことが重要である。特に精算表(Work Sheet)から貸借対照表(B/S)、損益計算書(P/L)を作成するときにこのことがわかっていないと正確に作成できない。なお、精算表については第5章で詳しく学習する。

(5) 元帳（Ledger）への転記（Posting）

　前述したように、仕訳帳（Journal）は取引（Transaction）の発生順、つまり日付順の記録である。これは後日、企業の歩みをたどるのに大変に便利な記録である。

　しかし取引の発生順、日付順に正確に仕訳（Journal Entry）したとしても、「現金（Cash）が今いくらあるのか」、「現金がいくら増えた（Increase）のか」、「現金がいくら減った（Decrease）のか」ということは、それだけではまったくわからない。そこで、例えば現金（Cash）という勘定（Account）に関して、残高や増減を計算しなおす必要がある。そして各会社で使用している勘定科目（Account）ごとに記録しなおすのである。その勘定科目ごとの帳簿を元帳（Ledger）という。したがって、勘定科目の数だけ、元帳（Ledger）をつくることになる。

> 　元帳（Ledger）は会社におけるすべての取引を分類、集計し、財務諸表（F/S）を作成するための基礎データを提供する会計システムに不可欠の帳簿である。

> 　仕訳帳（Journal）に書いてあるものを、元帳（Ledger）に書きうつす作業を転記（Posting）という。

Transaction（取引）

Journal Entry（仕訳）

Journal（仕訳帳）

いつ、どのような取引（Transaction）があったかを知るために必要（日付順に記録）

Posting（転記）

Ledger（元帳）

勘定科目（Account）：［例えば現金（Cash）、土地（Land）］ごとに今どれだけ残高があるかを知るために必要
※つまり勘定科目（Account）の数だけ元帳（Ledger）の数があるということ

＜転記（Posting）の仕方＞

　通常、会社では転記をコンピュータで行うが、簿記の学習ではＴ勘定（T Account）を使う。なぜＴ勘定と呼ぶかといえば、書き方の形態がアルファベットのＴの形をしているからで、基本は次のとおりである。

Account（A/C）：勘定科目	
Debit（借方） 左側に記入	Credit（貸方） 右側に記入

　ここでは、具体的な転記（Posting）の作業を現金（Cash）の元帳（Ledger）をつくる場合を例に、説明していくことにしよう。

　まず最初に、わかりやすいように仕訳帳（Journal）の現金（Cash）すべてに印をつける（例えば"∠"のようなものでよい）。

Journal（仕訳帳）

12/5	(Debit)	Purchases	800	(Credit)	∠Cash	800
12/8	(Debit)	∠Cash	1,000	(Credit)	Sales	1,000
12/14	(Debit)	Rent Expense	100	(Credit)	∠Cash	100
12/20	(Debit)	∠Cash	200	(Credit)	Interest Revenue	200

　次に仕訳帳（Journal）の左側〔つまり借方（Debit）側〕にあるものは元帳（Ledger）の左側〔借方（Debit）側〕に、仕訳帳（Journal）の右側〔つまり貸方（Credit）側〕にあるものは元帳（Ledger）の右側〔貸方（Credit）側〕に順次記入していけばよい。

　上の仕訳帳（Journal）をもとにＴ勘定を作成すると次ページのようになる。なお、12月１日における現金（Cash）の残高は＄2,000であったとする。

Ledger(元帳)

```
                              Account(勘定科目)
                                  ↓
              Debit(借方) | Cash(現金) | Credit(貸方)

12/1における残高   12/1    2,000
                 12/8    1,000    12/5     800
                 12/20     200    12/14    100

12/31における残高  12/31   2,300
```

例えば、Journalの中で12/5はCashがCredit側に登場するからCredit側に、同じ金額を、日付とともにLedgerに記入する。

　例えば仕訳帳(Journal)のなかで、12月5日に現金(Cash)が貸方(Credit)側に＄800登場するから、元帳(Ledger)にも貸方(Credit)側に同じ金額の＄800を日付けとともに記入する、といったような手順で進めていけばよい。

　このケースの場合、現金(Cash)の元帳(Ledger)における借方(Debit)側の合計は＄3,200である。もともと12月1日に＄2,000あったわけだから、＄1,200の現金を受取ったことがわかる。一方、貸方(Credit)側を見ると、合計が＄900である。これによって現金＄900が減ったことがわかる。これは、要するに＄900の支払いをしたということである。そして借方(Debit)合計＄3,200と貸方(Credit)合計＄900の差額の＄2,300が残高として最終的に計上されている。12月1日に＄2,000あったわけだから＄300増加したわけだ。つまり、もともと＄2,000あったところに＄1,200現金を受取って＄900現金を支払ったから差額の＄300現金が増加し、残高が＄2,300になったということである。

```
Debit側合計      ＄2,000＋＄1,000＋＄200＝＄3,200
Credit側合計               ＄800＋＄100＝   ＄900
Debit側合計－Credit側合計＝＄3,200－＄900
                           ＝＄2,300（＝残高）
```

　このように日付、金額、借方(Debit)側か貸方(Credit)側かに注意し

て、すべての勘定科目(Account)について、それぞれの元帳(Ledger)に転記(Posting)していく。

(6) 財務諸表（F/S）作成までの流れ

　以上、元帳をつくるところまで説明してきたが、財務諸表(F/S)を作成するにはさらにいくつかのステップが必要である。

　今日では、実務上の作業はほとんどコンピュータ化されている。しかし、簿記の学習上、仕組みを理解することは非常に重要である。

財務諸表(F/S)作成までの流れ

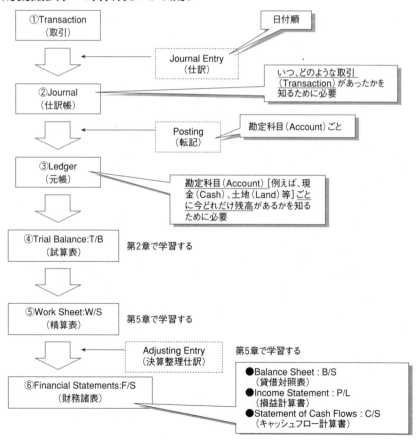

この流れを常に念頭に置き、簿記システムのどの部分を学習しているのかを確認するようにする。

---

①取引（Transaction）——企業の事業活動における取引（Transaction）は数が多く、いちいち取引の内容を言葉で書くのは大変である。そこで日付順に仕訳（Journal Entry）して記録する。

②仕訳帳（Journal）——取引は仕訳（Journal Entry）して分類されるが、この仕訳がたくさん集まったものが仕訳帳（Journal）である。これはいつ、どのような取引があったかをルールに従って記帳したものである。

③元帳（Ledger）——仕訳帳（Journal）だけでは、各勘定科目（Account）が今どれだけ残高があるのかがわからない。それを知るために、仕訳されたものを一定期間後に、現金（Cash）、土地（Land）など勘定科目（Account）ごとに集計する。この各勘定ごとに振り分けて記入し、集計されたものを元帳（Ledger）という。仕訳帳から元帳へ書きうつすことを、転記（Posting）という。

④試算表（Trial Balance：T/B）——元帳（Ledger）によって集計された各勘定科目の残高を一つの表にまとめたものが、試算表（Trial Balance：T/B）である。これで初めて全体像がわかる。この試算表は仕訳（Journal Entry）及び転記（Posting）に間違いがないかを試しに集計してみる、という意味合いを持つ。これは各元帳（Ledger）の最後の数字、つまり残高をうつし、集計したものである。

通常、試算表（T/B）は毎月作成するので、年度の途中で銀行から借入れをする場合、全体像のわかる試算表（T/B）を銀行に提出する、というように活用することができる。

試算表（T/B）の一番下の借方（Debit）と貸方（Credit）の数字〔借方（Debit）側と貸方（Credit）側のそれぞれの合計額〕は必ず一致する。仕訳（Journal Entry）では左側の借方（Debit）と右側の貸方

(Credit)の数字は同じ額で、それを元帳(Ledger)にうつし、さらに試算表(T/B)にうつしているので、試算表(T/B)の借方(Debit)合計と貸方(Credit)合計の数字は同じになるはずである。もし数字が一致しなかったなら、どこかにミスがあるということでチェックできる。

⑤精算表(Work Sheet : W/S)――精算表(Work Sheet : W/S)は、試算表(T/B)から財務諸表(F/S)への間の段階において作成される。精算表(Work Sheet)上で決算整理(Adjustments)による決算整理仕訳(Adjusting Entry)を行い、これを基に財務諸表(F/S)を作成する。

⑥財務諸表(Financial Statements : F/S)――貸借対照表(Balance Sheet : B/S)、損益計算書(Income Statement : P/L)の完成。

Tea time 1

会計知識があればビジネスでこんなに有利

アメリカでは、英文会計の専門家である米国公認会計士(CPA)は、ビジネスの基礎知識がある者として高く評価され、監査会計事務所はもちろん企業やコンサルティング会社で働き、高収入を得ている人が多い。米国公認会計士(CPA)はアメリカではビジネスエリートの代名詞なのである。一方、日本では会計といえば経理のイメージが強く、何か暗いもの、ダサいものという色眼鏡で見る人もいる。しかし、会計知識を身につければ企業の成績表ともいえる財務諸表などが読めるようになり、企業戦略を練る経営者にとっても営業マンにとっても非常に有利になる。また、投資家やコンサルタントにも財務諸表を読む力が必要なのは、いうまでもない。会計知識とはまさに宝の山なのである。

1. 株式会社における資金の流れ

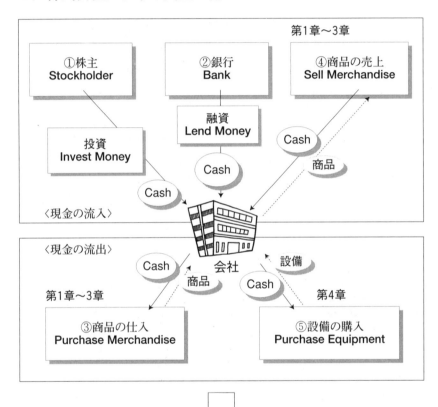

上記のようなすべての経済活動をまとめて
財務諸表（Financial Statements：F/S）を発行（Issue）する

Financial Statements
（企業の成績表）
{ B/S：貸借対照表（Balance Sheet）
P/L：損益計算書（Income Statement）
C/S：キャッシュフロー計算書（Statement of Cash Flows）

2. 財務諸表（Financial Statements ：F/S）

1. 貸借対照表（Balance Sheet : B/S）
　　　　　　　　　　一定時点での財政状態（Financial Position）を示す。
2. 損益計算書（Income Statement : P/L）
　　　　　　　　　　一会計期間の経営成績（Operating Results）を示す。
3. キャッシュフロー計算書（Statement of Cash Flows : C/S）
　　　　　　　　　　一会計期間の資金（現金）の流れ（Cashflow）を示す。

3. 財務諸表（Financial Statements：F/S）の目的

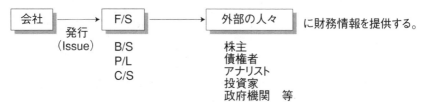

に財務情報を提供する。

4. 会計原則（Accounting Principles）

「一般に公正妥当と認められた会計原則」
　　　（Generally Accepted Accounting Principles:GAAP）

財務会計基準審議会（Financial Accounting Standards Board:FASB）
などが米国の会計基準（U.S.A. Accounting Standards）を作成している。

5．仕訳（Journal Entry）

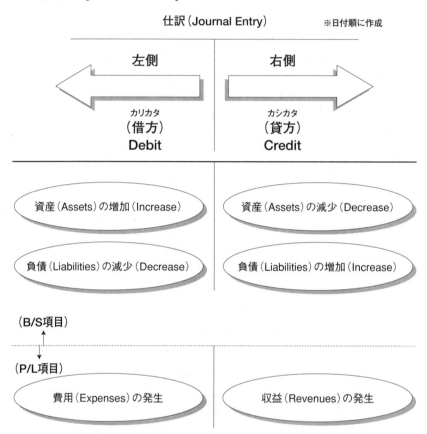

仕訳（Journal Entry）　　　※日付順に作成

左側	右側
カリカタ （借方） Debit	カシカタ （貸方） Credit

資産（Assets）の増加（Increase）　　　資産（Assets）の減少（Decrease）

負債（Liabilities）の減少（Decrease）　　　負債（Liabilities）の増加（Increase）

（B/S項目）

（P/L項目）

費用（Expenses）の発生　　　収益（Revenues）の発生

6．元帳（Ledger）への転記（Posting）

各勘定（Account）ごとに仕訳帳（Journal）から元帳（Ledger）へ転記（Posting）していく。

Account（A/C）：勘定科目	
Debit（借方） 左側に記入	Credit（貸方） 右側に記入

5 練習問題

問題1

下の表のカッコのなかに適当と思われる語句を入れなさい。なお、( )
には日本語、< >には英語が入ります。

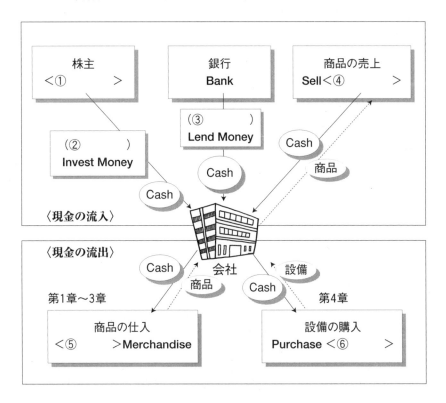

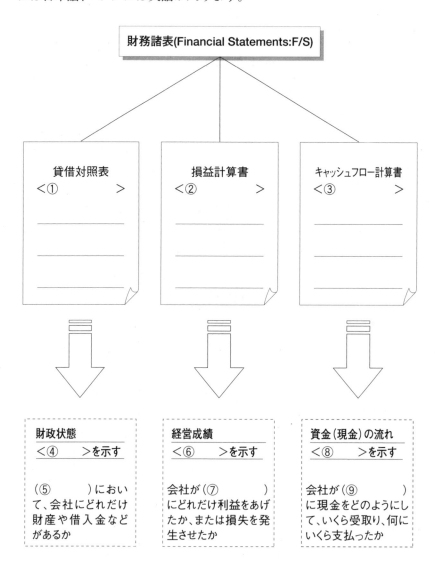

問題2

下の表のカッコのなかに適当と思われる語句を入れなさい。なお、（　）には日本語、＜　＞には英語が入ります。

財務諸表(Financial Statements:F/S)

貸借対照表
＜①　　　　＞

損益計算書
＜②　　　　＞

キャッシュフロー計算書
＜③　　　　＞

財政状態
＜④　　＞を示す

（⑤　　　　）において、会社にどれだけ財産や借入金などがあるか

経営成績
＜⑥　　＞を示す

会社が（⑦　　　　）にどれだけ利益をあげたか、または損失を発生させたか

資金（現金）の流れ
＜⑧　　＞を示す

会社が（⑨　　　　）に現金をどのようにして、いくら受取り、何にいくら支払ったか

>

問題3

　下の表のカッコのなかに適当と思われる語句を入れなさい。

［　］には数字、＜　＞には英語が入ります。

1．ANJO株式会社の資産は500ドルです。この会社には借金はありません。この場合、資本は［①　］ドルとなります。つまり、この会社の価値は［②　］ドルとなります。ある一定時点における会社の財政状態を示す表のことを貸借対照表といい、英語では＜③　＞といいます。ANJO株式会社の＜④　＞は以下のようになり、必ずDebit（借方）とCredit（貸方）の金額は一致します。

貸借対照表（B/S）

＜⑤　＞500	＜⑥　＞　　0
	＜⑦　＞　500

2．ANJO株式会社は、商品を購入するための資金として銀行から300ドル借入れをしました。資産は変更なく500ドルだったとするならば、ANJO株式会社の＜⑧　＞は以下のようになり会社の価値は［⑨　］ドルとなります。

貸借対照表（B/S）

＜⑩　＞500	＜⑪　＞　［⑬　］
	＜⑫　＞　［⑭　］

問題 4

下の表のカッコのなかに適当と思われる数字や語句を入れなさい。
[ ]には数字、< >には英語が入ります。

---

1. ANJO株式会社は1997年の売上が100ドルあり、それに伴う費用が80
   ドルでした。つまり、儲けである当期純利益、英語でいうと
   <① >は20ドルとなります。会社が一定期間にどれだけ儲け
   たかを示す表が損益計算書であり、英語でいうと<② >です。
   ANJO株式会社の<③ >は以下のようになります。

<table>
<tr><td colspan="2" align="center">損益計算書（P/L）</td><td></td><td>Revenues ［⑥ ］</td></tr>
<tr><td><④ >80</td><td><⑤ >100</td><td>→</td><td>Expenses ［⑦ ］</td></tr>
<tr><td></td><td></td><td></td><td></td></tr>
<tr><td></td><td></td><td></td><td><⑧ >　　20</td></tr>
</table>

---

2. 1998年、ANJO株式会社では商品が売れず、少しでも回収したいの
   で当初より安い価格で商品を売りました。そのため、1998年の売上
   は70ドルとなり、それに伴う費用は80ドルでした。この場合、損失
   が［⑨ ］ドル発生します。損失のことを当期純損失、英語で
   <⑩ >といいます。損益計算書で表すと以下のようになります。

<table>
<tr><td colspan="2" align="center">損益計算書（P/L）</td><td></td><td>Revenues　70</td></tr>
<tr><td>Expenses ［⑪ ］</td><td>Revenues ［⑫ ］</td><td>→</td><td>Expenses　80</td></tr>
<tr><td></td><td></td><td></td><td><⑬ >　（10）</td></tr>
</table>

（注）（ ）はマイナスを示す

58

問題 5

Record the following transactions in the Journal.

1 . Bought for cash land $ 10,000

2 . Paid rent $ 1,000

3 . Bought for cash merchandise $ 500

4 . Sold for cash merchandise $ 800

【和訳】

次の取引を仕訳帳に仕訳しなさい。

1 . 土地を現金 $ 10,000で購入した。

2 . 家賃 $ 1,000 を支払った。

3 . 商品を現金 $ 500 で購入した。

4 . 商品を現金 $ 800 で販売した。

問題 6

Record the following transactions in the Journal.

1 . Bought for cash merchandise $ 3,000

2 . Sold for cash merchandise $ 4,000

3 . Paid salary $ 250

4 . Received interest $ 150

【和訳】

次の取引を仕訳帳に仕訳しなさい。

1 . 商品を現金 $ 3,000で購入した。

2 . 商品を現金 $ 4,000 で販売した。

3 . 給料 $ 250 を支払った。

4 . 利息 $ 150 を受取った。

Record the following transactions in the Journal.

1. Paid interest $ 360

2. Paid insurance $ 1,200

3. Sold for cash land $ 5,200

4. Bought for cash equipment $ 450

【和訳】

次の取引を仕訳帳に仕訳しなさい。

1. 利息 $ 360 を支払った。

2. 保険料 $ 1,200 を支払った。

3. 土地を現金 $ 5,200 で売却した。

4. 設備を現金 $ 450 で購入した。

Post the following journal entries on December 15 to the ledger accounts.

1. Interest Expense   250 / Cash   250

2. Purchases   1,000 / Cash   1,000

3. Cash   1,200 / Sales   1,200

4. Cash   550 / Rent Revenue   550

Cash (B/S)	
Dec.1 3,000	

Purchases (P/L)	
Dec.1 5,000	

Sales (P/L)	
	Dec.1 6,000

Interest Expense (P/L)	
Dec.1 150	

Rent Revenue (P/L)	
	Dec.1 550

【和訳】

次の12月15日に行われた仕訳を元帳に転記しなさい。

1. 支払利息   250 / 現金   250
2. 仕入   1,000 / 現金   1,000
3. 現金   1,200 / 売上   1,200
4. 現金   550 / 受取家賃   550

現金（B/S）	
Dec.1　3,000	

仕入（P/L）	
Dec.1　5,000	

売上（P/L）	
	Dec.1　6,000

支払利息（P/L）	
Dec.1　150	

受取家賃（P/L）	
	Dec.1　550

6 解答と解説

問題1　解答

①Stockholder
②投資
③融資
④Merchandise
⑤Purchase
⑥Equipment

問題2　解答

①Balance Sheet
②Income Statement
③Statement of Cash Flows
④Financial Position
⑤一定時点
⑥Operating Results
⑦一会計期間
⑧Cashflow
⑨一会計期間

問題3　解答

①500
②500
③Balance Sheet
④Balance Sheet
⑤Assets
⑥Liabilities
⑦Stockholders' Equity
⑧Balance Sheet
⑨200
⑩Assets
⑪Liabilities
⑫Stockholders' Equity
⑬300
⑭200

問題4　解答

①Net Income
②Income Statement
③Income Statement
④Expenses
⑤Revenues
⑥100
⑦80
⑧Net Income
⑨10
⑩Net Loss
⑪80
⑫70
⑬Net Loss

問題5　解答

	Debit（借方）		Credit（貸方）	
1.	Land	10,000	Cash	10,000
2.	Rent Expense	1,000	Cash	1,000
3.	Purchases	500	Cash	500
4.	Cash	800	Sales	800

仕訳をする場合には、必ず取引をDebit（借方）とCredit（貸方）の2つの要素に分解する。

	Debit（借方）の要素	Credit（貸方）の要素
B/S項目	資産の増加 負債の減少 資本の減少	資産の減少 負債の増加 資本の増加
P/L項目	費用の発生	収益の発生

1．現金で土地を購入 土地（B/S項目）　　→資産の増加　→ **Debit**	現金（B/S項目）の減少　→資産の減少　→ **Credit**
2．現金で家賃を支払う 支払家賃（P/L項目）　→費用の発生　→ **Debit**	現金（B/S項目）の減少　→資産の減少　→ **Credit**
3．商品を現金で購入 商品の購入（仕入）　　→費用の発生　→ **Debit** （P/L項目）	現金（B/S項目）の減少　→資産の減少　→ **Credit**
4．商品を現金で販売 現金（B/S項目）の増加　→資産の増加　→ **Debit**	商品の販売（売上）　　→収益の発生　→ **Credit** （P/L項目）

※常にB/S項目なのかP/L項目なのかを考える必要がある（学習しているうちに自然とわかるようになるはず）。

	問題 6　解答

	Debit（借方）		Credit（貸方）	
1.	Purchases	3,000	Cash	3,000
2.	Cash	4,000	Sales	4,000
3.	Salaries Expense	250	Cash	250
4.	Cash	150	Interest Revenue	150

仕訳をする場合には、必ず取引をDebit（借方）とCredit（貸方）の2つの要素に分解する。

	Debit（借方）の要素	Credit（貸方）の要素
B/S項目	資産の増加 負債の減少 資本の減少	資産の減少 負債の増加 資本の増加
P/L項目	費用の発生	収益の発生

1．商品を現金で購入 商品の購入（仕入）　　→費用の発生　→ Debit （P/L項目）	現金（B/S項目）の減少　→資産の減少 → Credit
2．商品を現金で販売 現金（B/S項目）の増加　→資産の増加　→ Debit	商品の販売（売上）　　→収益の発生 → Credit （P/L項目）
3．現金で給料を支払う 給料の支払い　　　　　→費用の発生　→ Debit （P/L項目）	現金（B/S項目）の減少　→資産の減少 → Credit
4．現金で利息を受け取る 現金（B/S項目）の増加　→資産の増加　→ Debit	利息の受け取り　　　　→収益の発生 → Credit （P/L項目）

	Debit（借方）		Credit（貸方）	
1.	Interest Expense	360	Cash	360
2.	Insurance Expense	1,200	Cash	1,200
3.	Cash	5,200	Land	5,200
4.	Equipment	450	Cash	450

仕訳をする場合には、必ず取引をDebit（借方）とCredit（貸方）の2つの要素に分解する。

	Debit（借方）の要素	Credit（貸方）の要素
B/S項目	資産の増加 負債の減少 資本の減少	資産の減少 負債の増加 資本の増加
P/L項目	費用の発生	収益の発生

1．現金で利息を支払う	
利息の支払い →費用の発生 → Debit （P/L項目）	現金（B/S項目）の減少 →資産の減少 → Credit
2．現金で保険料を支払う	
保険料の支払い →費用の発生 → Debit （P/L項目）	現金（B/S項目）の減少 →資産の減少 → Credit
3．現金で土地を売却	
現金（B/S項目）の増加 →資産の増加 → Debit	土地（B/S項目）の減少 →資産の減少 → Credit
4．現金で設備の購入	
設備（B/S項目）の増加 →資産の増加 → Debit	現金（B/S項目）の減少 →資産の減少 → Credit

問題 8　解答

Cash（B/S）

Dec. 1	3,000	Dec.15	250
Dec.15	1,200	Dec.15	1,000
Dec.15	550		
Dec.31	3,500		

Purchases（P/L）

Dec. 1	5,000	
Dec.15	1,000	
Dec.31	6,000	

Sales（P/L）

		Dec. 1	6,000
		Dec.15	1,200
		Dec.31	7,200

Interest Expense（P/L）

Dec. 1	150	
Dec.15	250	
Dec.31	400	

Rent Revenue（P/L）

		Dec. 1	550
		Dec.15	550
		Dec.31	1,100

　　仕訳を元帳に転記する場合は、仕訳でDebit（借方）にある勘定はその元帳のDebit（借方）に、仕訳でCredit（貸方）にある勘定はその元帳のCredit（貸方）に、金額をうつせばよい。そして日付を転記した金額の横に書いておく。

転記例

1. Interest Expense	250	/	Cash	250

Interest Expense（P/L）

Dec. 1	150
Dec.15	250

Interest Expense元帳のDebit に転記

Cash（B/S）

Dec. 1	3,000	Dec.15	250

Cash元帳のCreditに転記

2. Purchases	1,000	/	Cash	1,000

Purchases（P/L）

Dec. 1	5,000
Dec.15	1,000

Purchases元帳のDebit に転記

Cash（B/S）

Dec. 1	3,000	Dec.15	250
		Dec.15	1,000

Cash元帳のCreditに転記

3.	Cash	1,200	/	Sales	1,200

	Cash（B/S）				Sales（P/L）	
Dec. 1	3,000	Dec.15	250		Dec. 1	6,000
Dec.15	1,200	Dec.15	1,000		Dec.15	1,200

Cash元帳のDebitに転記　　　　　　　　Sales元帳のCreditに転記

4.	Cash	550	/	Rent Revenue	550

	Cash（B/S）				Rent Revenue（P/L）	
Dec. 1	3,000	Dec.15	250		Dec. 1	550
Dec.15	1,200	Dec.15	1,000		Dec.15	550
Dec.15	550					

Cash元帳のDebitに転記　　　　　Rent Revenue元帳のCreditに転記

第 ② 章

売掛金と買掛金

Accounts Receivable and Accounts Payable

1 信用取引(on account)

(1) 信用取引(on account)とは

　ここでは、商品の販売会社を想定して考える。このような会社の営業活動の中心は、商品を購入(Purchases)して、それを販売(Sales)することである。第1章では、商品を仕入れるときに現金(Cash)を支払い、商品を販売するときに現金(Cash)を受取るといったように、すべて現金(Cash)による取引(Transaction)を考えてきた。

　しかし、通常の取引においては、現金で代金を支払ったり、現金で売上代金を受取ることはほとんどないと考えてよい。現金は大金になると危険なので、銀行振込みや小切手などによって、後日現金を支払う、あるいは受取るという方法をとるのである。このように、あとで現金の受取り、支払いが行われる取引を信用取引(on account)という。日本では掛(かけ)ともいう。

　信用取引のポイントは商品を販売(Sales)するときと現金(Cash)を受取るとき、または商品を購入(Purchases)するときと現金(Cash)を支払うときに、それぞれタイミングのずれがあるということである。

　信用取引で使われる勘定(Account)が「Accounts Payable(A/P)」(買掛金)と「Accounts Receivable(A/R)」(売掛金)である。

(2) 買掛金(Accounts Payable ：A/P)

> **重要Point! ここをチェック**　商品の購入(Purchases)を信用取引で行った場合、買掛金(Accounts Payable：A/P)という勘定科目(Account)を使うことになる。

　Accounts Payableの"Payable"とは、現金(Cash)を後で支払わなければならない義務があることを示す。つまり、買掛金(A/P)は、後で現金

70

(Cash)を支払わなければならないという勘定科目(Account)だから、貸借対照表(B/S)の負債(Liabilities)項目となる。したがって、増加すれば貸方(Credit)、減少すれば借方(Debit)に記録される。

(3) 売掛金(Accounts Receivable：A/R)

> **重要Point! ここをチェック**　商品の販売(Sales)を信用取引で行った場合、売掛金(Accounts Receivable：A/R)という勘定科目(Account)を使うことになる。

Accounts Receivableの"Receivable"とは、現金(Cash)を後で受取ることができる権利があることを示す。つまり、A/R(売掛金)は、後で現金(Cash)を受取れるという勘定科目(Account)だから、貸借対照表(B/S)の資産(Assets)項目となる。したがって、増加すれば借方 (Debit)、減少すれば貸方(Credit)に記録される。

「Accounts Payable：A/P」や「Accounts Receivable：A/R」は、企業の主たる営業活動から生じる商品などの掛購入による未払い代金や掛販売による未収代金がある場合に使用する勘定科目(Account)である。

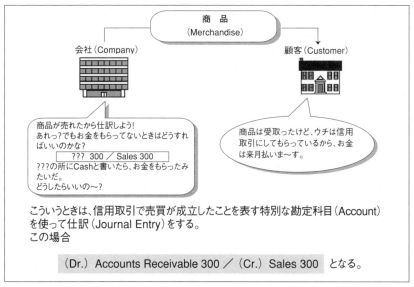

(4) 購入（Purchases）の信用取引の会計処理

　ここでは、購入（Purchases）の信用取引の会計処理について、具体的な例を使って説明していく。

《例》現金取引の場合

　12月2日に現金（Cash）で商品＄150を購入（Purchase）した場合、次のように仕訳する。なお、Dr.は借方（Debit）の略、Cr.は貸方（Credit）の略である。

12/2 　　(Dr.) Purchases 150　　／　　(Cr.) Cash 150	
［Debit … 費用（Expenses）の発生　　Credit … 資産（Assets）の減少］	

　現金取引なら、この仕訳（Journal Entry）で終了である。

《例》信用取引の場合
①購入時

　先の例と同じ取引を信用取引（on account）で行った場合、まだ現金（Cash）は支払われていないわけだから、貸方（Credit）側は現金（Cash）の代わりに、買掛金（Accounts Payable：A/P）という勘定科目（Account）を使って、次のように仕訳をする。

12/2 　　(Dr.) Purchases 150　　／　　(Cr.) Accounts Payable 150	
［Debit … 費用（Expenses）の発生　　Credit … 負債（Liabilities）の増加］	

　まだ代金を支払っていないからといって仕入（Purchases）を計上しないと、実態と異なってしまう。そのため貸方（Credit）側には現金（Cash）の代わりに、後で支払わなければならない金額を表す買掛金（Accounts Payable：A/P）という勘定科目（Account）を使って仕訳（Journal Entry）を行う。

　つまり、買掛金（Accounts Payable：A/P）という勘定科目（Account）を使うことにより、後日仕入代金を支払う義務が生じたことを示す。

②支払い時

　後日、12月25日に現金(Cash)を支払った(Paid)とすると、そのときは、現金(Cash)が減少する。これは貸方(Credit)に記入する。また、買掛金(A/P)が取り消されるので、買掛金(A/P)は借方(Debit)側に記入される。

　仕訳(Journal Entry)は、次のようになる。

```
12/25    (Dr.) Accounts Payable 150  ／    (Cr.) Cash 150
        [Debit…負債(Liabilities)の減少    Credit…資産(Assets)の減少]
```

　注) 会計用語で「取り消す」とは反対側に記入することである。

　注) A/Pの取り消し：もともと買掛金(A/P)は貸方(Credit)側の項目なので、取り消しは借方(Debit)側に計上される。

　なお、買掛金(Accounts Payable)の支払いは、通常、日本では銀行振込が多いが、アメリカでは小切手により行われる。

③元帳(Ledger)への転記

　仕訳帳(Journal)では、各勘定(Account)に残高がどれだけあるかわからないので、元帳(Ledger)に転記(Posting)する。

　これをT勘定(元帳＝Ledger)で表すと、次のようになる。

Debit（借方）		A/P（買掛金）	Credit（貸方）
12/25	150	12/2	150
			0

　12/2に買掛金(Accounts Payable：A/P)が＄150発生したので、貸方(Credit)側に日付12/2と金額150を記入する。その後12/25に現金(Cash)で全額支払い、買掛金(Accounts Payable：A/P)が減少したので、借方(Debit)側に日付12/25と金額150を記入する。そして残高は0となる。

④全額ではなく部分的に支払った場合

　買掛金(Accounts Payable：A/P)が一度に全額支払われるとは限らな

い。

　先の例で仮に、12/25に＄150全額でなくて、＄30だけ支払った（Paid）場合は、以下の仕訳となる。

| 12/25 | （Dr.）Accounts Payable　30 | ／ | （Cr.）Cash　30 |

　［Debit …負債（Liabilities）の減少　　Credit …資産（Assets）の減少］

　これをT勘定（元帳＝Ledger）で表すと、次のようになる。

Debit（借方）		A/P（買掛金）	Credit（貸方）	
12/25	30	12/2		150
				120

　まず、12/2に買掛金（Accounts Payable：A/P）が＄150発生したので、貸方（Credit）側に日付12/2と金額150を記入する。その後12/25に現金（Cash）＄30を支払い、買掛金（Accounts Payable：A/P）が＄30だけ減少したので、借方（Debit）側に日付12/25と金額30を記入する。

　残高は貸方残（Credit Balance）＄120となる。つまり、これから支払わなければならない負債（Liabilities）が＄120残っている、ということである。これが買掛金（Accounts Payable：A/P）の元帳（Ledger）から読みとれる。基本的に、＄150以上現金（Cash）を支払うことは考えられないため、買掛金（Accounts Payable：A/P）が借方残（Debit Balance）となることはない。

　＜購入（Purchases）の信用取引（on account）の流れ＞

　　12月2日に商品＄150を信用取引（on account）で購入し、後日、12月25日に全額支払いがなされた例をまとめると以下のようになる。

１）会社が仕入先から商品（Merchandise）＄150を、信用取引（on account）で購入した（Purchases）ときの仕訳（Journal Entry）は次のようになる。

(Dr.)Purchases（仕入）150 ／（Cr.）Accounts Payable（買掛金）150

2) 支払い条件について合意したうえで、仕入先から会社へ商品
（Merchandise）と請求書（Invoice）が送付される。

3) 請求書（Invoice）に間違いがないことを確認し、支払い条件(例えば
月末締め翌月末支払い)に従って買掛金（Accounts Payable）に対し
て支払いがなされる。

支払い条件に従って会社が仕入先に代金を現金（Cash）で支払った
（Paid）ときの仕訳（Journal Entry）は、次のようになる。

12/25 （Dr.）Accounts Payable（買掛金）150 ／（Cr.）Cash（現金）150

　実際には会社（Company）は多くの仕入先を抱え、例えばA社に＄50、
B社に＄70、C社に＄30というように、それぞれの仕入先ごとに買掛金
（Accounts Payable : A/P）の残高がある。それぞれの残高を合計（Total）
したものが買掛金（A/P）の元帳（Ledger）の最後の数字、つまり残高とな
る。この元帳（Ledger）を買掛金（A/P）の総勘定元帳（General Ledger）と
呼ぶ。
　しかし、この買掛金（A/P）の総勘定元帳（General Ledger）の記録だけ
では、仕入先ごとの買掛金（A/P）の明細がつかめない。そこで、仕入先
ごとの残高、つまりどの会社に対していくらの買掛金（A/P）があるのか

の内訳は別に記録しておく必要がある。これを補助元帳（Subsidiary Ledger）という。

　信用取引における仕入先は信用のおけるところでなければならず、保管している仕入先リストから信頼のおける適当な仕入先を選び出す。

　例えば前ページの3社から仕入をしている場合、次ページのようになる。

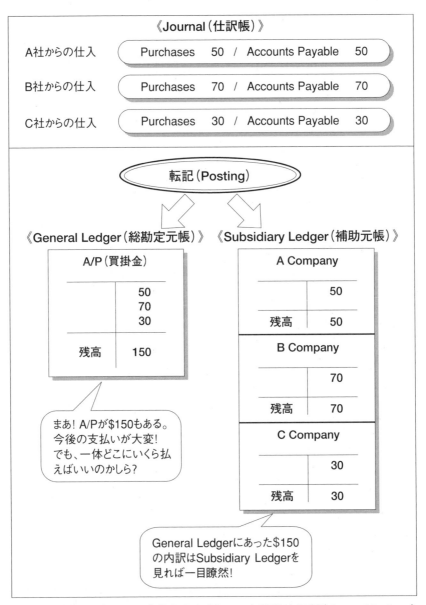

$150を期日どおりに支払おうと思っても総勘定元帳(General Ledger)を見ただけでは、どこにいくら支払いがあるのかがわからない。

そこで補助元帳(Subsidiary Ledger)を作成することになる。これがあ

ればそれぞれの仕入先にいくら買掛金（A/P）があるのかが明確になる。

（5） 販売（Sales）の信用取引の会計処理

次に、販売（Sales）の信用取引の会計処理についても、具体的な例を使って説明していく。

《例》現金取引の場合

12月2日に現金（Cash）で商品＄200を販売（Sales）した場合、次のように仕訳する。

12/2 （Dr.）Cash　200　／　（Cr.）Sales　200

[Debit …資産（Assets）の増加　Credit …収益（Revenues）の発生]

現金取引なら、この仕訳（Journal Entry）で終了である。

《例》信用取引の場合
①販売時

上の例と同じ取引を信用取引（on account）で行った場合、まだ現金（Cash）は受取っていないわけだから、借方（Debit）側は現金（Cash）の代わりに、売掛金（Accounts Receivable：A/R）という勘定科目（Account）を使って、次のように仕訳（Journal Entry）をする。

12/2 （Dr.）Accounts Receivable　200　／　（Cr.）Sales　200

[Debit …資産（Assets）の増加　Credit …収益（Revenues）の発生]

販売時に、まだ代金を受取っていないからといって売上（Sales）を計上しないと、実態と異なってしまう。そのため借方（Debit）側には現金（Cash）の代わりに、あとで受取ることができる金額を表す売掛金（Accounts Receivable：A/R）という勘定科目（Account）を使って仕訳（Journal Entry）を行う。

つまり、売掛金（Accounts Receivable：A/R）という勘定科目（Account）
を使うことにより、後日売上代金を受取る権利が生じたことを示す。

　例えば飲み屋の常連客になると、その場で支払うのではなく、ツケで
済ませることがある。これもまた、一種の信用取引である。この場合、
店側からすれば酒やツマミを出すとそれが売上ということになる。そし
て、後日、給料日などに常連客から入金がなされ代金が回収される。

②現金の受取時

　後日、12月25日に現金（Cash）を受取った（Received）とすると、そのと
きは、現金（Cash）が増加する。これは借方（Debit）側に記入する。また、
売掛金（Accounts Receivable：A/R）が取り消されるので、売掛金（A/R）
は貸方（Credit）側に記入される。仕訳（Journal Entry）は次のようになる。

```
12/25 （Dr.）Cash　200　／　（Cr.）Accounts Receivable　200
　　［Debit …資産（Assets）の増加　Credit …資産（Assets）の減少］
```

注）A/Rの取り消し：もともと売掛金（A/R）は借方（Debit）側の項目なので、取り
　消しは貸方（Credit）に計上される

③元帳（Ledger）への転記

　仕訳帳（Journal）では、各勘定（Account）に残高がどれだけあるかわか
らないので、元帳（Ledger）に転記（Posting）する。

　これをT勘定（元帳＝Ledger）で表すと、以下のようになる。

Debit（借方）		A/R（売掛金）	Credit（貸方）	
12/2	200		12/25	200
		0		

　12/2に売掛金（Accounts Receivable：A/R）が＄200発生したので、借方
（Debit）側に日付12/2と金額200を記入する。その後12/25に現金（Cash）
で全額受取り、売掛金（Accounts Receivable：A/R）が減少したので、貸

方（Credit）側に日付の12／25と金額200を記入する。そして残高は０となる。

④全額ではなく部分的に受取った場合

　売掛金（Accounts Receivable：A/R）を一度に全額受取るとは限らない。先の例で、仮に12／25に＄200全額ではなくて、＄50だけ受取った（Received）場合は、以下の仕訳となる。

12/25 （Dr.）Cash　50　／（Cr.）Accounts Receivable　50
　［Debit …資産（Assets）の増加　　Credit …資産（Assets）の減少］

これをＴ勘定（元帳＝Ledger）で表すと、次のようになる。

Debit（借方）	A/R（売掛金）		Credit（貸方）
12/2	200	12/25	50
	150		

　まず、12/2に売掛金（Accounts Receivable：A/R）が＄200発生したので、借方（Debit）側に日付の12/2と金額の200を記入する。その後12/25に現金（Cash）＄50を受取り、売掛金（Accounts Receivable：A/R）が＄50だけ減少したので、貸方（Credit）側に日付12/25と金額50を記入する。

　残高は借方残（Debit Balance）＄150となる。つまり、今後、受取ることができる金額が＄150残っている、ということである。これが売掛金（Accounts Receivable：A/R）の元帳（Ledger）から読み取れる。基本的に、＄200以上現金（Cash）を受取ることは考えられないため、売掛金（Accounts Receivable：A/R）が貸方残（Credit Balance）となることはない。

＜販売（Sales）の信用取引（on account）での流れ＞

> 12月2日に商品＄200を信用取引（on account）で販売し、後日、12月25日に代金を回収した例をまとめると次のようになる。

1）会社が購入者に商品（Merchandise）＄200を、信用取引（on account）で販売した（Sales）ときの仕訳（Journal Entry）は以下のようになる。

12/2　（Dr.）Accounts Receivable（売掛金）200 ／（Cr.）Sales（売上）200

2）支払い条件について合意したうえで、会社から購入者へ商品（Merchandise）と請求書（Invoice）が送付される。

3）請求書（Invoice）に間違いがないことを確認し、支払い条件（例えば月末締め翌月末支払い）に従って支払いがなされる。これを逆に会社からみれば、購入者から売掛金（Accounts Receivable）に対して現金（Cash）を受取ることになる。

　支払い条件に従って、会社が購入者から代金を現金（Cash）で受取った（Received）ときの仕訳（Journal Entry）は次のようになる。

12/25　（Dr.）Cash（現金）　200 ／（Cr.）Accounts Receivable（売掛金）200

　販売先も仕入先と同様に複数あるのが普通である。例えばA社に＄50、B社に＄70、C社に＄30というように、それぞれの販売先ごとに売掛金

（Accounts Receivable：A/R）の残高がある。それぞれの残高を合計（Total）したものが売掛金（A/R）の元帳（Ledger）の最後の数字、つまり残高となる。この元帳を売掛金（A/R）の総勘定元帳（General Ledger）と

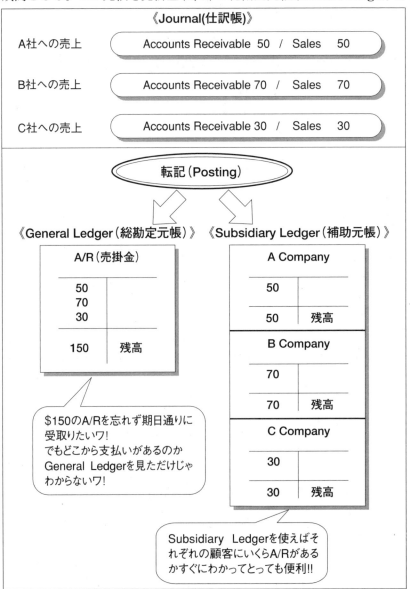

82

呼ぶ。

しかし、この売掛金(A/R)の総勘定元帳(General Ledger)の記録だけでは、販売先ごとの残高、つまりどの会社に対していくらの売掛金(A/R)があるのかという内訳は別に記録しておく必要がある。これを補助元帳(Subsidiary Ledger)という。

＄150を期日どおりに受け取りたいと思っても総勘定元帳(General Ledger)を見ただけでは、どこから支払いがあるのかがわからない。

そこで補助元帳(Subsidiary Ledger)を作成することになる。これがあればそれぞれの顧客にいくら売掛金(A/R)があるかが明確になる。

《リスク管理に簿記・会計スキルは重要》

信用取引には、常にリスクが伴う。信用取引では、その場で現金(Cash)を回収することはできないからだ。現金(Cash)を回収するまでに取引相手が逃げてしまい支払いを受けることができず、その結果、会社が負うほかの支払いが不可能となり倒産に追い込まれてしまう、ということにもなりかねない。つまり、取引先の財政状態により、自社にもその影響が及んでくるのである。そのため、取引先がどういう会社なのかを常に考慮する必要がある。

したがって信用管理担当者は必要に応じ、あるいは定期的に販売先の信用状態を新規及び既存の顧客にかかわらず調査することになる。顧客の財務諸表(Financial Statements)を直接取り寄せて分析し、過去の支払状況を調べて、特に支払期日を越えたものはなかったかどうか確認したり、あるいは外部の信用調査機関を通して、会社の安全性に問題はなかったかどうかなどを調べるのである。

本来は経理担当者のみならず、営業マンでもこのようなリスク管理をすることが不可欠である。会計のスキルがあれば、より信用度が高い得意先を開拓できる可能性がある。つまり、営業マンでも財務諸表(Financial Statements)を読んでリスク管理をする必要があるといえる。

2 試算表 (Trial Balance：T/B)

第1章で学習したように、財務諸表(F/S)を作成するまでの簿記(Bookkeeping)の基本的な流れは以下のようになる。

簿記 (Bookkeeping) の流れ

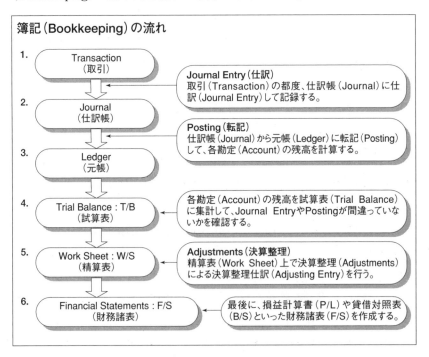

1. Transaction（取引）

Journal Entry（仕訳）
取引（Transaction）の都度、仕訳帳（Journal）に仕訳（Journal Entry）して記録する。

2. Journal（仕訳帳）

Posting（転記）
仕訳帳（Journal）から元帳（Ledger）に転記（Posting）して、各勘定（Account）の残高を計算する。

3. Ledger（元帳）

4. Trial Balance：T/B（試算表）

各勘定（Account）の残高を試算表（Trial Balance）に集計して、Journal EntryやPostingが間違っていないかを確認する。

5. Work Sheet：W/S（精算表）

Adjustments（決算整理）
精算表（Work Sheet）上で決算整理（Adjustments）による決算整理仕訳（Adjusting Entry）を行う。

6. Financial Statements：F/S（財務諸表）

最後に、損益計算書（P/L）や貸借対照表（B/S）といった財務諸表（F/S）を作成する。

（1）試算表(Trial Balance：T/B)の目的

簿記の基本的な流れのなかで元帳(Ledger)の作成の次にくるのが、試算表(Trial Balance：T/B)作成である。

試算表(Trial Balance：T/B)を作成する目的には、主に次の3つがある。

①企業の最近の勘定科目(Account)ごとの残高を示し、企業の状況を一覧表示する。

②簿記記録の正確性を検証する。

③貸借対照表(B/S)、損益計算書(P/L)の元になる。

このように試算表（Trial Balance）が作成されてはじめて、企業の経営状況の全体像が見えてくるのである。

①企業の最近の勘定科目（Account）ごとの残高を示し、企業の状況を一覧表示する

これまで見てきたように、企業で発生する取引は仕訳帳（Journal）に発生順に記録され、元帳（Ledger）に勘定科目（Account）ごとに記録される。しかし、この仕訳帳（Journal）や元帳（Ledger）は、通常膨大な量となり、すべてを取り出して読むことは不可能である。また、仕訳帳（Journal）は単に取引を発生順に記録したにすぎず、元帳（Ledger）は勘定科目（Account）ごとの分類にすぎない。つまり、仕訳帳（Journal）や元帳（Ledger）をそのまま読んでも、企業全体の経営状況を把握することはできないのである。

しかし、企業が今どのような経営状況にあるのかを的確に把握していないと、適切な経営判断を行えないのはいうまでもない。そういった状態が続くと、経営危機に陥り、倒産してしまうことにもなりかねない。そこで、仕訳帳（Journal）と元帳（Ledger）に基づき集計作業を実施し、企業の営業活動を総括した記録を作成することが必要になってくる。この総括したものが、試算表（Trial Balance：T/B）である。

②簿記記録の正確性を検証する

会計期末において、また通常毎月末においても、仕訳（Journal Entry）及び転記（Posting）に間違いがないかを確認するために、試算表（Trial Balance）を作成する必要がある。

仕訳帳（Journal）に仕訳する際には、借方（Debit）と貸方（Credit）は同じ金額が記入されているから、元帳（Ledger）のすべての勘定（Account）の借方（Debit）金額の合計と貸方（Credit）金額の合計は同じになるはずである。試算表（Trial Balance）には元帳（Ledger）の残高を集計するのだから、もし仕訳（Journal Entry）や転記（Posting）に間違いがないなら試算

表の借方(Debit)金額の合計と貸方(Credit)金額の合計は一致するはず
である。

　逆に、借方(Debit)金額の合計と貸方(Credit)金額の合計が一致しな
ければ、仕訳(Jounal Entry)や転記(Posting)のどこかに間違いがあった
ということになる。

③貸借対照表(B/S)、損益計算書(P/L)の元になる

　以上①②に加えて、試算表(Trial Balance：T/B)は、財務諸表
(Financial Statements：F/S)の作成の基礎となるものである。また、第
5章で学習する精算表(Work Sheet：W/S)の作成ベース(基本)となるの
が試算表(Trial Balance：T/B)である。

重要Point! ここをチェック　　仕訳帳(Journal)に仕訳(Journal
Entry)した取引(Transaction)は、元帳(Ledger)に集計された後、
その残高を試算表(Trial Balance)に集計することになる。
試算表(Trial Balance)では借方金額(Debit)の合計と貸方金額
(Credit)の合計の一致によって、仕訳(Journal Entry)及び転記
(Posting)に間違いがないことを確認できる。

　通常、試算表は毎月作成される。会社の経営者は年次決算の数字だけ
では経営の実状を判断できず、対応に遅れてしまうことになる。そこで、
1カ月単位の判断材料が必要となってくるのである。本来は毎月、正確
な財務諸表を作成することが望ましいが、その作業はあまりにも大変な
ので現実的ではない。そこで試算表レベルで毎月の経営状況の判断を行
うのである。

(2) 作成方法：各元帳（Ledger）の残高を集計する

①元帳（Ledger）の残高の計算

まず、各元帳（Ledger）に記録されているそれぞれの取引（Transaction）を借方（Debit）、貸方（Credit）ごとに合計（Total）し、その差額を求め、残高が借方（Debit）、貸方（Credit）のどちらに残るかを把握し、その残高の残る側に金額を記入する。

> 現金（Cash）、売上（Sales）、仕入（Purchases）、買掛金（Accounts Payable）について具体的な数字を使って説明していこう。

《例》現金（Cash）の残高の算出

現金（Cash）の取引（現金の受取り及び支払い）は年間を通じて多く発生するので、借方（Debit）側も貸方（Credit）側も記入が多い。実際に元帳（Ledger）を作成する際には、漏れなく記入することを心掛けてほしい。

《例》	Cash Ledger（現金元帳）			
	Debit（借方）		Credit（貸方）	
借方合計 6,700	12/ 1	4,700	12/ 3	500
	12/14	500	12/ 4	300
	12/16	700	12/23	550
	12/27	650	12/24	200
	12/29	150	12/26	300
			12/28	300
	残高			
	12/31	4,550		

貸方合計 2,150

残高の算出は、借方（Debit）合計と貸方（Credit）合計のうち、多い方から少ない方を引いて求める。

> 借方（Debit）合計6,700 －貸方（Credit）合計2,150 ＝　　4,550
> 　　　　　　　　　　　　　　　　　　　　　　　借方（Debit）

> 12/31の残高（＝12月末の残高）：Debit 4,550
> これを試算表（Trial Balance）に記入する

この現金元帳(Cash Ledger)から、現金(Cash)は12月1日には＄4,700の残高があったが、12月31日には＄4,550の残高になったということがわかる。

《例》売上(Sales)の算出

売上(Sales)は原則としてマイナスになることはないので、貸方(Credit)側のみに記入される。

```
《例》                    Sales Ledger（売上元帳）
        Debit（借方）                    Credit（貸方）

                                12/ 1       9,500
                                12/14         500
借方合計                          12/16         700        貸方合計
   0                             12/19         400        11,700
                                12/21         600

                                残高
                                12/31       11,700
```

残高の算出は、借方(Debit)合計と貸方(Credit)合計のうち、多い方から少ない方を引いて求める。

貸方(Credit) 合計11,700－借方(Debit) 合計0＝ 　11,700
　　　　　　　　　　　　　　　　　　　　　貸方(Credit)

12/31の残高（＝12月末の残高）：Credit 11,700
これを試算表(Trial Balance)に記入する

売上元帳(Sales Ledger)から、売上(Sales)は12月1日には＄9,500だったが、12月31日には＄11,700になったということがわかる。

《例》仕入(Purchases)の算出

仕入(Purchases)は原則としてマイナスになることはないので、借方

(Debit)側のみに記入される。

```
《例》              Purchase Ledger（仕入元帳）
                 Debit（借方）              Credit（貸方）
        ┌─  12/ 1      7,000
借方合計 │   12/ 3        500                          ┐ 貸方合計
 9,350 ┤   12/ 4        300                          ┤    0
        │   12/ 8        750
        └─  12/12        800

            残高
            12/31       9,350
```

　残高の算出は、借方（Debit）合計と貸方（Credit）合計のうち多い方から少ない方を引いて求める。

> 借方（Debit）　合計9,350 －貸方（Credit）　合計0 ＝　　9,350
> 　　　　　　　　　　　　　　　　　　　　　　　　　　借方（Debit）

> 12/31の残高（＝12月末の残高）：Debit 9,350
> これを試算表（Trial Balance）に記入する

　仕入元帳（Purchase Ledger）から、仕入れ（Purchases）は12月1日には＄7,000だったが、12月31日には＄9,350になったということがわかる。

《例》買掛金（Accounts Payable）の残高の算出

　買掛金（Accounts Payable）は、信用取引（on account）で商品を購入（Purchases）したときには貸方（Credit）側に記入され、支払ったとき（Paid）には借方（Debit）側に記入される。購入代金以上に支払うことはないので、借方（Debit）残になることはない。

《例》
Accounts Payable Ledger（買掛金元帳）

	Debit（借方）		Credit（貸方）		
借方合計 550	12/23	550	12/ 1 12/ 8 12/12	3,400 750 800	貸方合計 4,950
			残高 12/31	4,400	

残高の算出は、借方（Debit）合計と貸方（Credit）合計のうち、多い方から少ない方を引いて求める。

貸方（Credit）合計4,950 －借方（Debit）合計550 ＝　　4,400

貸方（Credit）残

12/31の残高（＝12月末の残高）：Credit 4,400
これを試算表（Trial Balance）に記入する

買掛金元帳（Accounts Payable Ledger）から、買掛金は12月1日には＄3,400の残高があったが、12月31日には＄4,400の残高になったということがわかる。

②各元帳(Ledger)の残高を試算表(Trial Balance)に集計する

各元帳の残高を計算したら、次にその残高を試算表（Trial Balance）に集計することになる。具体的には以下のような手順で行う。

1）試算表（Trial Balance）の勘定科目欄に、必要な勘定科目（Account）をあらかじめ記入しておく。

　勘定科目（Account）の順序はB/Sの資産（Assets）項目から始まって、負債（Liabilities）項目、資本（Stockholder's Equity）項目、その後はP/Lの収益（Revenues）項目、費用（Expenses）項目と続く。

なお、資産（Assets）項目や負債（Liabilities）項目のなかでの順番は、換金しやすい資産（Assets）、支払期日の早い負債（Liabilities）から先に記載していく。

2) 各元帳（Ledger）の残高を試算表（Trial Balance）の借方（Debit）側または貸方（Credit）側へ記入する。

各勘定科目（Account）の残高は記載される側（Debit or Credit）が決まっている。B/S項目は、資産（Assets）は借方（Debit）残、負債（Liabilities）は貸方（Credit）残、資本（Stockholder's Equity）は貸方（Credit）残である。一方、P/L項目は収益（Revenues）は貸方（Credit）残、費用（Expenses）は借方（Debit）残となる。

3) すべての勘定科目（Account）の残高が記入された後、借方（Debit）、貸方（Credit）それぞれの合計を一番下に記載し、両方が一致していることを確認する。

ここまでの例で見ると、元帳（Ledger）の残高は現金（Cash）が借方（Debit）残で＄4,550、売上（Sales）が貸方（Credit）残で＄11,700、仕入（Purchases）が借方（Debit）残で＄9,350、買掛金（Accounts Payable）が貸方（Credit）残で＄4,400なので、これらの残高を試算表（Trial Balance）に記入していく。この場合、元帳（Ledger）の貸方（Credit）残の残高は試算表（Trial Balance）の貸方（Credit）側に記入し、元帳（Ledger）の借方（Debit）残の残高は試算表（Trial Balance）の借方（Debit）側に記入する。

この結果、試算表（Trial Balance）の借方（Debit）合計金額と貸方（Credit）合計金額は一致する。

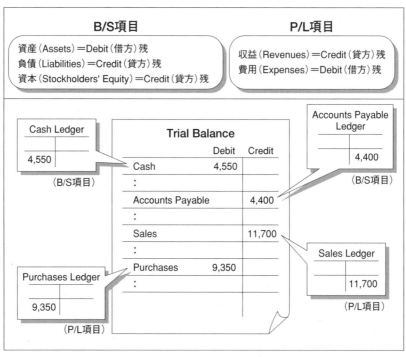

B/S項目

資産(Assets)＝Debit(借方)残
負債(Liabilities)＝Credit(貸方)残
資本(Stockholders' Equity)＝Credit(貸方)残

P/L項目

収益(Revenues)＝Credit(貸方)残
費用(Expenses)＝Debit(借方)残

Cash Ledger

4,550

(B/S項目)

Accounts Payable Ledger

4,400

(B/S項目)

Trial Balance

	Debit	Credit
Cash	4,550	
:		
Accounts Payable		4,400
:		
Sales		11,700
:		
Purchases	9,350	
:		

Sales Ledger

11,700

(P/L項目)

Purchases Ledger

9,350

(P/L項目)

※試算表(Trial Balance)を作成することによって、全体像が確認できる。

3 財務諸表 (Financial Statements : F/S)

　試算表(Trial Balance)を元にして、精算表(Work Sheet)で決算整理
(Adjustments)を行い、財務諸表(Financial Statements)を作成する。こ
こで簡単に貸借対照表(Balance Sheet)と損益計算書(Income Statement)
について見ておこう。

(1) 貸借対照表 (Balance Sheet：B/S)

貸借対照表 (B/S) の基本パターンと読み方

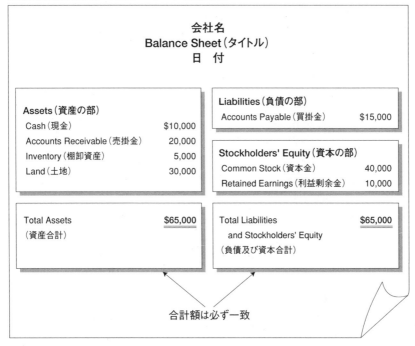

注) Inventory (棚卸資産) とは売れ残った商品などを指す……第3章の学習内容

Common Stock (資本金) と Retained Earning (利益剰余金)

……第5章の学習内容

(2) 損益計算書（Income Statement：P/L）

損益計算書（P/L）の基本パターンと読み方

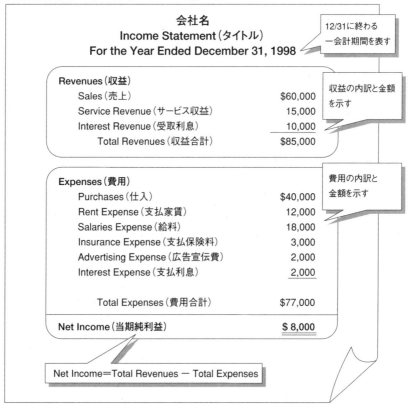

会社名
Income Statement（タイトル）
For the Year Ended December 31, 1998

12/31に終わる
一会計期間を表す

Revenues（収益）

Sales（売上）	$60,000
Service Revenue（サービス収益）	15,000
Interest Revenue（受取利息）	10,000
Total Revenues（収益合計）	$85,000

収益の内訳と金額を示す

Expenses（費用）

Purchases（仕入）	$40,000
Rent Expense（支払家賃）	12,000
Salaries Expense（給料）	18,000
Insurance Expense（支払保険料）	3,000
Advertising Expense（広告宣伝費）	2,000
Interest Expense（支払利息）	2,000
Total Expenses（費用合計）	$77,000
Net Income（当期純利益）	$ 8,000

費用の内訳と金額を示す

Net Income＝Total Revenues － Total Expenses

一会計期間（Accounting Period）の経営成績（Operating Results）
Total Revenues － Total Expenses＞0 ⇒Net Income （当期純利益）
Total Revenues － Total Expenses＜0 ⇒Net Loss　 （当期純損失）

　収益合計（Total Revenues）が費用合計（Total Expenses）より多いとき
は、当期純利益（Net Income）が計上される。逆に、収益合計（Total
Revenues）が費用合計（Total Expenses）より少ないときは、当期純損失

(Net Loss)が計上される。

> 　財務諸表（F/S）の作成においては、F/Sの頭につける会社名と
> F/Sの各タイトル（例えば損益計算書：P/L、貸借対照表：B/Sなど）
> 及び日付（Date）が大変重要となる。

　注意しなければいけないのは、B/Sの場合は一定時点の財政状態
（Financial Position）を示すものだから、日付はAs of December 31, 1998と
いうように決算日現在ということを示す記載をすることになるのに対し
て、P/Lの場合は一定期間にどれだけ儲かったか、もしくは損をしたか
という経営成績（Operating Results）を示すものだから、日付にはFor the
Year Ended December 31, 1998（1月1日〜12月31日という意味）というよ
うに、会計期間（Accounting Period）を示すような記載をするという点で
ある。

※B/SとP/Lにおける計測方法の違いをまとめてみよう。

> **暗記項目！これだけは覚えろ**
> Balance Sheet（B/S）は一定時点（Point-in-time）（決算日：12月31
> 日）における財政状態（Financial Position）を示すものである。

※P/Lについては次ページに。

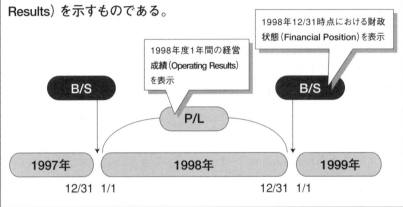

暗記項目！ これだけは覚えろ

Income Statement（P/L）は、一会計年度（For a given accounting period：1月1日〜12月31日）を通しての経営成績（Operating Results）を示すものである。

1998年12/31時点における財政状態（Financial Position）を表示

1998年度1年間の経営成績（Operating Results）を表示

B/S

P/L

B/S

1997年　　　　1998年　　　　1999年

12/31　1/1　　　　　　　　12/31　1/1

Tea time 4

ビジネスの3大スキルとは

　国際競争時代に重要なスキルは3つある。1つはコミュニケーション手段としての「英語力」、もう1つは仕事のツールとしての「コンピュータ（パソコン）」の知識、最後の1つは企業の情報開示を分析するうえで不可欠な「会計」のスキルである。これらの3つのスキルがそろえば、自宅のパソコンで海外の株を売買したり、国際ビジネスのプロフェッショナルとしてキャリアアップすることも可能になるだろう。

4 要点整理

1．信用取引（on account）

　商品販売後に代金を受取ったり、商品購入後に代金を支払うというような取引を信用取引（on account）という。

> 購入時（Purchases）→買掛金（Accounts Payable：A/P）を計上する
> 　　　　　　　　　　→B/Sの負債（Liabilities）の項目
> 販売時（Sales）→売掛金（Accounts Receivable：A/R）を計上する
> 　　　　　　　　→B/Sの資産（Assets）の項目

2．試算表（Trial Balance：T/B）

●目的―――①企業の最近の勘定科目（Account）ごとの残高を示し、企業の状況を一覧表示する
　　　　　②簿記記録の正確性を検証する
　　　　　③貸借対照表（B/S）、損益計算書（P/L）の元になる
●作成方法―①元帳（Ledger）の残高を計算する
　　　　　②元帳（Ledger）の残高を試算表（Trial Balance）に集計する

3．財務諸表（Financial Statements：F/S）の作成

（1）会社名
（2）F/Sのタイトル―――これらを頭に必ずつける。
（3）日付（Date）
　　　B/S…一定時点（決算日）（例）As of December 31, 1998
　　　P/L…一定期間（例）For the Year Ended December 31, 1998

4．買掛金（Accounts Payable）と売掛金（Accounts Receivable）

4/8に仕入（Purchases）、4/29に現金（Cash）支払い（Paid）
4/10に売上（Sales）、4/30に現金（Cash）受取り（Received） のケース

仕 入（Purchases）

| Purchases | 100 | / | Accounts Payable | 100 |

売 上（Sales）

| Accounts Receivable | 150 | / | Sales 150 |

April

Sun	Mon	Tue	Wed	Thu	Fri	Sat
	1	2	3	4	5	6
7	8	9	10	11	12	13
14	15	16	17	18	19	20
21	22	23	24	25	26	27
28	29	30				

入 金（Cash Receipt）

| Cash | 150 / | Accounts Receivable | 150 |

支払い（Cash Payment）

| Accounts Payable 100 | / | Cash | 100 |

5 練習問題

問題 1

Record the following transactions in the journal.

1. Bought on account merchandise $ 800
2. Sold merchandise on account $ 1,000
3. Paid cash on account $ 500
4. Received cash on account $ 600

【和訳】

次の取引を仕訳帳に仕訳しなさい。

1. 信用取引で商品 $ 800を購入した。
2. 信用取引で商品 $ 1,000を販売した。
3. 買掛金 $ 500を現金で支払った。
4. 売掛金 $ 600を現金で回収した。

Tea time 5

進行する4つのビッグバン

　産業構造の大変革期である現在、あらゆる分野でビッグバンが進行中である。その主なものには、①インターネットを中心とした「情報ビッグバン」、②株式投資など直接金融が重視される「金融ビッグバン」、③暗記中心から独創性のある人材を育てる教育へと転換する「教育ビッグバン」、それに国際会計基準(IAS)に近い内容へ世界の会計基準が変わる「会計ビッグバン」がある。ビッグバンの起こっている分野はほとんど例外なく成長分野であり、大きなビジネスチャンスが転がっている。

Record the following transactions in the journal.

1. December 2. Bought for cash merchandise $ 500
2. December 6. Bought merchandise on account $ 800
3. December 9. Sold for cash merchandise $ 700
4. December 12. Sold merchandise on account $ 600
5. December 15. Paid cash on account $ 550
6. December 16. Paid rent $ 300
7. December 20. Paid interest $ 200
8. December 22. Received cash on account $ 650
9. December 25. Paid salaries $ 300
10. December 29. Received interest $ 150

【和訳】

次の取引を仕訳帳に仕訳しなさい。

1. 12月 2 日　　商品を現金 $ 500 で購入した。
2. 12月 6 日　　信用取引で商品 $ 800 を購入した。
3. 12月 9 日　　商品を現金 $ 700 で販売した。
4. 12月12日　　信用取引で商品 $ 600 を販売した。
5. 12月15日　　買掛金 $ 550 を現金で支払った。
6. 12月16日　　家賃 $ 300 を支払った。
7. 12月20日　　利息 $ 200 を支払った。
8. 12月22日　　売掛金 $ 650 を現金で回収した。
9. 12月25日　　給料 $ 300 を支払った。
10. 12月29日　　利息 $ 150 を受取った。

Post the journal entries made in question 2 to the ledger accounts.

Cash (B/S)	
Dec. 1　4,700	

Purchases (P/L)	
Dec.1　7,000	

Sales (P/L)	
	Dec.1　9,500

Accounts Receivable (B/S)	
Dec. 1　3,600	

Accounts Payable (B/S)	
	Dec. 1　3,400

Rent Expense (P/L)	
Dec.1　800	

Interest Expense (P/L)	
Dec. 1　2,300	

Salaries Expense (P/L)	
Dec.1　3,300	

Interest Revenue (P/L)	
	Dec.1　500

【和訳】

問題 2 で行った仕訳を元帳に転記しなさい。

現金　(B/S)	
12/1　4,700	

仕入　(P/L)	
12/1　7,000	

売上　(P/L)	
	12/1　9,500

売掛金　(B/S)	
12/1　3,600	

買掛金　(B/S)	
	12/1　3,400

支払家賃　(P/L)	
12/1　800	

支払利息　(P/L)	
12/1　2,300	

支払給料　(P/L)	
12/1　3,300	

受取利息　(P/L)	
	12/1　500

Prepare a trial balance dated December 31,1998, based on the accounts in the ledger accounts made in question 3.

TRIAL BALANCE
December 31, 1998

	Debit	Credit
Cash		
Accounts Receivable		
Inventory Jan.1,1998		
Land		
Accounts Payable		
Common Stock		5,000
Retained Earnings		3,300
Sales		
Interest Revenue		
Purchases		
Rent Expense		
Salaries Expense		
Insurance Expense		
Interest Expense		
Total		

注) Common Stock（資本金）は$5,000、Retained Earnings（利益剰余金）は$3,300であると仮定する。これらはまだ学習してない範囲なので、数字をあらかじめ与えておく。

【和訳】問題3で転記した元帳の金額を用いて1998年12月31日の試算表を作成しなさい。

試算表
1998/12/31

	借方	貸方
現金		
売掛金		
期首棚卸資産		
土地		
買掛金		
資本金		5,000
利益剰余金		3,300
売上		
受取利息		
仕入		
支払家賃		
支払給料		
支払保険料		
支払利息		
合計		

Record the following transactions in the journal.

1. December 3. Bought for cash merchandise $ 600
2. December 5. Bought for cash merchandise $ 500
3. December 10. Bought for cash merchandise $ 200
4. December 11. Bought for cash merchandise $ 300
5. December 14. Bought for cash merchandise $ 800
6. December 15. Sold for cash merchandise $ 500
7. December 17. Sold for cash merchandise $ 1,500
8. December 18. Sold for cash merchandise $ 600
9. December 20. Sold for cash merchandise $ 400
10. December 23. Sold for cash merchandise $ 300
11. December 24. Paid salaries $ 200
12. December 26. Paid insurance $ 1,300
13. December 27. Paid rent $ 300
14. December 29. Paid interest $ 400
15. December 30. Received interest $ 350

【和訳】

次の取引を仕訳帳に仕訳しなさい。

1. 12月3日 商品 $ 600を現金で購入した。
2. 12月5日 商品 $ 500を現金で購入した。
3. 12月10日 商品 $ 200を現金で購入した。
4. 12月11日 商品 $ 300を現金で購入した。
5. 12月14日 商品 $ 800を現金で購入した。
6. 12月15日 商品 $ 500を現金で販売した。
7. 12月17日 商品 $ 1,500を現金で販売した。
8. 12月18日 商品 $ 600を現金で販売した。
9. 12月20日 商品 $ 400を現金で販売した。
10. 12月23日 商品 $ 300を現金で販売した。
11. 12月24日 給料 $ 200を現金で支払った。
12. 12月26日 保険料 $ 1,300を現金で支払った。
13. 12月27日 家賃 $ 300を現金で支払った。
14. 12月29日 利息 $ 400を現金で支払った。
15. 12月30日 利息 $ 350を現金で受取った。

Post the journal entries made in question 5 to the ledger accounts.

	Cash (B/S)				Purchases (P/L)	
Dec.1	5,600			Dec.1	4,000	

	Sales (P/L)				Salaries Expense (P/L)	
		Dec.1	6,600	Dec.1	2,200	

	Insurance Expense (P/L)				Rent Expense (P/L)	
Dec.1	600			Dec.1	3,300	

	Interest Expense (P/L)				Interest Revenue (P/L)	
Dec.1	1,450					Dec.1	600

注) Ledger にDec.1(12月1日)における各勘定(Account)の残高を記入してある。

Prepare a trial balance dated December 31, 1998, based on the ledger accounts made in question 6.

TRIAL BALANCE
December 31, 1998

	Debit	Credit
Cash		
Accounts Receivable		
Inventory Jan 1, 1998		
Land		
Accounts Payable		
Common Stock		6,000
Retained Earnings		3,950
Sales		
Interest Revenue		
Purchases		
Rent Expense		
Salaries Expense		
Insurance Expense		
Interest Expense		
Total		

注) Common Stock（資本金）は＄6,000、 Retained Earnings（利益剰余金）は＄3,950であると仮定する。これらはまだ、学習してない範囲なので数字をあらかじめ与えておく。

Record the following transactions in the journal.
1. December 3. Bought for cash merchandise $ 500
2. December 4. Bought for cash merchandise $ 300
3. December 8. Bought on account merchandise $ 750
4. December 12. Bought on account merchandise $ 800
5. December 14. Sold for cash merchandise $ 500
6. December 16. Sold for cash merchandise $ 700
7. December 19. Sold merchandise on account $ 400
8. December 21. Sold merchandise on account $ 600
9. December 23. Paid cash on account $ 550
10. December 24. Paid rent $ 200
11. December 26. Paid interest $ 300
12. December 27. Received cash on account $ 650
13. December 28. Paid salaries $ 300
14. December 29. Received interest $ 150

【和訳】

次の取引を仕訳帳に仕訳しなさい。
1. 12月3日 商品 $ 500を現金で購入した。
2. 12月4日 商品 $ 300を現金で購入した。
3. 12月8日 商品 $ 750を掛で購入した。
4. 12月12日 商品 $ 800を掛で購入した。
5. 12月14日 商品 $ 500を現金で販売した。
6. 12月16日 商品 $ 700を現金で販売した。
7. 12月19日 商品 $ 400を掛で販売した。
8. 12月21日 商品 $ 600を掛で販売した。
9. 12月23日 買掛金 $ 550を現金で支払った。
10. 12月24日 家賃 $ 200を支払った。
11. 12月26日 利息 $ 300を支払った。
12. 12月27日 売掛金 $ 650を現金で回収した。
13. 12月28日 給料 $ 300を支払った。
14. 12月29日 利息 $ 150を受取った。

Post the journal entries made in question 8 to the ledger accounts.

Cash (B/S)	
Dec.1 4,700	

Purchases (P/L)	
Dec.1 7,000	

Sales (P/L)	
	Dec.1 9,500

Salaries Expense (P/L)	
Dec.1 3,300	

Interest Revenue (P/L)	
	Dec.1 500

Accounts Receivable (B/S)	
Dec.1 3,600	

Rent Expense (P/L)	
Dec.1 800	

Interest Expense (P/L)	
Dec.1 2,300	

Accounts Payable (B/S)	
	Dec.1 3,400

注) LedgerにDec.1(12月1日)における各勘定(Account)の残高を記入してある。

Prepare a trial balance dated December 31, 1998 based on the ledger accounts made in question 9.

TRIAL BALANCE
December 31, 1998

	Debit	Credit
Cash		
Accounts Receivable		
Inventory Jan 1, 1998		
Land		
Accounts Payable		
Common Stock		4,500
Retained Earnings		3,800
Sales		
Interest Revenue		
Purchases		
Rent Expense		
Salaries Expense		
Insurance Expense		
Interest Expense		
Total		

注) Common Stock(資本金)は＄4,500、Retained Earnings(利益剰余金)は＄3,800であると仮定する。これらはまだ、学習してない範囲なので数字をあらかじめ与えておく。

6 解答と解説

問題1 解答

	Debit (借方)		Credit (貸方)	
1.	Purchases	800	Accounts Payable	800
2.	Accounts Receivable	1,000	Sales	1,000
3.	Accounts Payable	500	Cash	500
4.	Cash	600	Accounts Receivable	600

信用取引：代金をあとで支払う（受取る）という約束で行う取引

●信用取引で商品を購入（Purchases）し、代金を後日支払うことは、債務＝負債（Liabilities）の増加となる。この信用取引による債務＝負債（Liabilities）はAccounts Payable（買掛金）という勘定科目（Account）で処理される。

●信用取引で商品を販売（Sales）し、代金を後日受取ることは、債権＝資産（Assets）の増加となる。この信用取引による債権＝資産（Assets）はAccounts Receivable（売掛金）という勘定科目（Account）で処理される。

1．信用取引で商品を購入（仕入） 　　商品の購入（仕入）→費用の発生　　→ Debit	買掛金の増加→負債の増加　　　　　→ Credit
2．信用取引で商品を販売（売上） 　　売掛金の増加→資産の増加　　→ Debit	商品の販売（売上）→収益の発生　　→ Credit
3．買掛金の支払い 　　買掛金の減少→負債の減少　　→ Debit	現金の減少→資産の減少　　　　　　→ Credit
4．売掛金の回収 　　現金の増加→資産の増加　　→ Debit	売掛金の減少→資産の減少　　　　　→ Credit

	日付	Debit（借方）		Credit（貸方）	
1.	Dec.2	Purchases	500	Cash	500
2.	Dec.6	Purchases	800	Accounts Payable	800
3.	Dec.9	Cash	700	Sales	700
4.	Dec.12	Accounts Receivable	600	Sales	600
5.	Dec.15	Accounts Payable	550	Cash	550
6.	Dec.16	Rent Expense	300	Cash	300
7.	Dec.20	Interest Expense	200	Cash	200
8.	Dec.22	Cash	650	Accounts Receivable	650
9.	Dec.25	Salaries Expense	300	Cash	300
10.	Dec.29	Cash	150	Interest Revenue	150

1．商品を現金で購入（仕入）
　商品の購入（仕入）→費用の発生　　　→Debit　　　現金の減少→資産の減少　　　　　　　→ Credit

2．信用取引で商品を購入（仕入）
　商品の購入（仕入）→費用の発生　　　→ Debit　　　買掛金の増加→負債の増加　　　　　　→ Credit

3．商品を現金で販売（売上）
　現金の増加→資産の増加　　　　　　　→ Debit　　　商品の販売（売上）→収益の発生　　　→ Credit

4．信用取引で商品を販売（売上）
　売掛金の増加→資産の増加　　　　　　→ Debit　　　商品の販売（売上）→収益の発生　　　→ Credit

5．買掛金の支払い
　買掛金の減少→負債の減少　　　　　　→ Debit　　　現金の減少→資産の減少　　　　　　　→ Credit

6．現金で家賃の支払い
　家賃の支払い→費用の発生　　　　　　→ Debit　　　現金の減少→資産の減少　　　　　　　→ Credit

7．現金で利息の支払い
　利息の支払い→費用の発生　　　　　　→ Debit　　　現金の減少→資産の減少　　　　　　　→ Credit

8．売掛金の回収
　現金の増加→資産の増加　　　　　　　→ Debit　　　売掛金の減少→資産の減少　　　　　　→ Credit

9．現金で給料の支払い
　給料の支払い→費用の発生　　　　　　→ Debit　　　現金の減少→資産の減少　　　　　　　→ Credit

10．現金で利息の受け取り
　現金の増加→資産の増加　　　　　　　→ Debit　　　利息の受け取り→収益の発生　　　　　→ Credit

Cash（B/S）

Dec. 1	4,700	Dec. 2	500
Dec. 9	700	Dec.15	550
Dec.22	650	Dec.16	300
Dec.29	150	Dec.20	200
		Dec.25	300
Dec.31	4,350		

Purchases（P/L）

Dec. 1	7,000		
Dec. 2	500		
Dec. 6	800		
Dec.31	8,300		

Sales（P/L）

		Dec. 1	9,500
		Dec. 9	700
		Dec.12	600
		Dec.31	10,800

Accounts Receivable（B/S）

Dec. 1	3,600	Dec.22	650
Dec.12	600		
Dec.31	3,550		

Accounts Payable（B/S）

Dec.15	550	Dec. 1	3,400
		Dec.6	800
		Dec.31	3,650

Rent Expense（P/L）

Dec. 1	800		
Dec.16	300		
Dec.31	1,100		

Interest Expense（P/L）

Dec. 1	2,300		
Dec.20	200		
Dec.31	2,500		

Salaries Expense（P/L）

Dec. 1	3,300		
Dec.25	300		
Dec.31	3,600		

Interest Revenue（P/L）

		Dec. 1	500
		Dec.29	150
		Dec.31	650

　元帳に転記するには、仕訳でDebit（借方）にある勘定はその元帳の Debit（借方）に、仕訳でCredit（貸方）にある勘定はその元帳のCredit（貸方）にその金額を日付とともにうつせばよい。そして、12月31日における残高を各元帳ごとに示す。

TRIAL BALANCE
December 31, 1998

	Debit	Credit
Cash	4,350	
Accounts Receivable	3,550	
Inventory Jan.1,1998		
Land		
Accounts Payable		3,650
Common Stock		5,000
Retained Earnings		3,300
Sales		10,800
Interest Revenue		650
Purchases	8,300	
Rent Expense	1,100	
Salaries Expense	3,600	
Insurance Expense		
Interest Expense	2,500	
Total	23,400	23,400

　試算表を作成する際、元帳の借方（Debit）の残高は試算表の借方（Debit）に記入し、元帳の貸方（Credit）の残高は試算表の貸方（Credit）に記入する。試算表の借方（Debit）合計金額と貸方（Credit）合計金額は一致する。もし一致しなければどこかに間違いがあったということである。

┌─── B/S項目 ───┐　　　　┌─── P/L項目 ───┐
資産＝借方残、負債＝貸方残、資本＝貸方残　　　費用＝借方残、収益＝貸方残

Cash（B/S） 元帳では借方（Debit）残	$4,350	──→	試算表の借方（Debit）に	$4,350
Accounts Receivable（B/S） 元帳では借方（Debit）残	$3,550	──→	試算表の借方（Debit）に	$3,550
Accounts Payable（B/S） 元帳では貸方（Credit）残	$3,650	──→	試算表の貸方（Credit）に	$3,650
Sales（P/L） 元帳では貸方（Credit）残	$10,800	──→	試算表の貸方（Credit）に	$10,800
Interest Revenue（P/L） 元帳では貸方（Credit）残	$650	──→	試算表の貸方（Credit）に	$650
Purchases（P/L） 元帳では借方（Debit）残	$8,300	──→	試算表の借方（Debit）に	$8,300
Rent Expense（P/L） 元帳では借方（Debit）残	$1,100	──→	試算表の借方（Debit）に	$1,100
Salaries Expense（P/L） 元帳では借方（Debit）残	$3,600	──→	試算表の借方（Debit）に	$3,600
Interest Expense（P/L） 元帳では借方（Debit）残	$2,500	──→	試算表の借方（Debit）に	$2,500

	Date	Debit		Credit	
1.	Dec.3	Purchases	600	Cash	600
2.	Dec.5	Purchases	500	Cash	500
3.	Dec.10	Purchases	200	Cash	200
4.	Dec.11	Purchases	300	Cash	300
5.	Dec.14	Purchases	800	Cash	800
6.	Dec.15	Cash	500	Sales	500
7.	Dec.17	Cash	1,500	Sales	1,500
8.	Dec.18	Cash	600	Sales	600
9.	Dec.20	Cash	400	Sales	400
10.	Dec.23	Cash	300	Sales	300
11.	Dec.24	Salaries Exp	200	Cash	200
12.	Dec.26	Insurance Exp	1,300	Cash	1,300
13.	Dec.27	Rent Exp	300	Cash	300
14.	Dec.29	Interest Exp	400	Cash	400
15.	Dec.30	Cash	350	Interest Rev	350

*Exp : Expense   *Rev : Revenue

	日付	借方		貸方	
1.	12月3日	仕入	600	現金	600
2.	12月5日	仕入	500	現金	500
3.	12月10日	仕入	200	現金	200
4.	12月11日	仕入	300	現金	300
5.	12月14日	仕入	800	現金	800
6.	12月15日	現金	500	売上	500
7.	12月17日	現金	1,500	売上	1,500
8.	12月18日	現金	600	売上	600
9.	12月20日	現金	400	売上	400
10.	12月23日	現金	300	売上	300
11.	12月24日	給料	200	現金	200
12.	12月26日	支払保険料	1,300	現金	1,300
13.	12月27日	支払家賃	300	現金	300
14.	12月29日	支払利息	400	現金	400
15.	12月30日	現金	350	受取利息	350

Cash（B/S）（現金）

Dec. 1	5,600	Dec. 3	600
Dec.15	500	Dec. 5	500
Dec.17	1,500	Dec.10	200
Dec.18	600	Dec.11	300
Dec.20	400	Dec.14	800
Dec.23	300	Dec.24	200
Dec.30	350	Dec.26	1,300
		Dec.27	300
		Dec.29	400
Dec.31	4,650		

Purchases（P/L）（仕入）

Dec. 1	4,000		
Dec. 3	600		
Dec. 5	500		
Dec.10	200		
Dec.11	300		
Dec.14	800		
Dec.31	6,400		

Sales（P/L）（売上）

		Dec. 1	6,600
		Dec.15	500
		Dec.17	1,500
		Dec.18	600
		Dec.20	400
		Dec.23	300
		Dec.31	9,900

Salaries Expense（P/L）（給料）

Dec. 1	2,200		
Dec.24	200		
Dec.31	2,400		

Insurance Expense（P/L）（支払保険料）

Dec. 1	600		
Dec.26	1,300		
Dec.31	1,900		

Rent Expense（P/L）（支払家賃）

Dec. 1	3,300		
Dec.27	300		
Dec.31	3,600		

Interest Expense（P/L）（支払利息）

Dec. 1	1,450		
Dec.29	400		
Dec.31	1,850		

Interest Revenue（P/L）（受取利息）

		Dec. 1	600
		Dec.30	350
		Dec.31	950

	TRIAL BALANCE（試算表） December 31, 1998	
	Debit（借方）	Credit（貸方）
Cash（現金）	4,650	
Accounts Receivable（売掛金）		
Inventory Jan 1, 1998（期首棚卸資産）		
Land（土地）		
Accounts Payable（買掛金）		
Common Stock（資本金）		6,000
Retained Earnings（利益剰余金）		3,950
Sales（売上）		9,900
Interest Revenue（受取利息）		950
Purchases（仕入）	6,400	
Rent Expense（支払家賃）	3,600	
Salaries Expense（給料）	2,400	
Insurance Expense（支払保険料）	1,900	
Interest Expense（支払利息）	1,850	
Total（合計）	20,800	20,800

Tea time 6

国際会計基準（IAS）革命

　いままでの世界の会計基準は国ごとで独自に定められており、他国間の取引では財務諸表などに記された数字をどこまで信用していいのか、わかりにくい面があった。そこで世界各国の会計基準を米国の会計である英文会計をベースとした国際会計基準（IAS）に近づけていこうという動きがある。国際会計基準（IAS）はいうなれば会計基準のグローバルスタンダードである。日本でも2000年3月期から、①単体での決算中心から連結決算中心への移行、②連結キャッシュフロー計算書の導入、③税効果会計の強制適用といった会計基準の変更が行われ、2002年頃には国際会計基準（IAS）にほぼ近い内容になる予定である。

	Date	Debit		Credit	
1.	Dec.3	Purchases	500 (P/L)	Cash	500 (B/S)
2.	Dec.4	Purchases	300 (P/L)	Cash	300 (B/S)
3.	Dec.8	Purchases	750 (P/L)	A/P	750 (B/S)
4.	Dec.12	Purchases	800 (P/L)	A/P	800 (B/S)
5.	Dec.14	Cash	500 (B/S)	Sales	500 (P/L)
6.	Dec.16	Cash	700 (B/S)	Sales	700 (P/L)
7.	Dec.19	A/R	400 (B/S)	Sales	400 (P/L)
8.	Dec.21	A/R	600 (B/S)	Sales	600 (P/L)
9.	Dec.23	A/P	550 (B/S)	Cash	550 (B/S)
10.	Dec.24	Rent Exp	200 (P/L)	Cash	200 (B/S)
11.	Dec.26	Interest Exp	300 (P/L)	Cash	300 (B/S)
12.	Dec.27	Cash	650 (B/S)	A/R	650 (B/S)
13.	Dec.28	Salaries Exp	300 (P/L)	Cash	300 (B/S)
14.	Dec.29	Cash	150 (B/S)	Interest Rev	150 (P/L)

*A/P : Accounts Payable　　*A/R : Accounts Receivable

*Exp : Expense　　*Rev : Revenue

	日付	借方		貸方	
1.	12月3日	仕入	500	現金	500
2.	12月4日	仕入	300	現金	300
3.	12月8日	仕入	750	買掛金	750
4.	12月12日	仕入	800	買掛金	800
5.	12月14日	現金	500	売上	500
6.	12月16日	現金	700	売上	700
7.	12月19日	売掛金	400	売上	400
8.	12月21日	売掛金	600	売上	600
9.	12月23日	買掛金	550	現金	550
10.	12月24日	支払家賃	200	現金	200
11.	12月26日	支払利息	300	現金	300
12.	12月27日	現金	650	売掛金	650
13.	12月28日	給料	300	現金	300
14.	12月29日	現金	150	受取利息	150

Cash（B/S）

Dec. 1	4,700	Dec. 3	500
Dec.14	500	Dec. 4	300
Dec.16	700	Dec.23	550
Dec.27	650	Dec.24	200
Dec.29	150	Dec.26	300
		Dec.28	300
Dec.31	4,550		

Purchases（P/L）

Dec. 1	7,000		
Dec. 3	500		
Dec. 4	300		
Dec. 8	750		
Dec.12	800		
Dec.31	9,350		

Sales（P/L）

		Dec. 1	9,500
		Dec.14	500
		Dec.16	700
		Dec.19	400
		Dec.21	600
		Dec.31	11,700

Salaries Expense（P/L）

Dec. 1	3,300		
Dec.28	300		
Dec.31	3,600		

Interest Revenue（P/L）

		Dec. 1	500
		Dec.29	150
		Dec.31	650

Accounts Receivable（B/S）

Dec. 1	3,600	Dec.27	650
Dec.19	400		
Dec.21	600		
Dec.31	3,950		

Rent Expense（P/L）

Dec. 1	800		
Dec.24	200		
Dec.31	1,000		

Interest Expense（P/L）

Dec. 1	2,300		
Dec.26	300		
Dec.31	2,600		

Accounts Payable（B/S）

Dec.23	550	Dec. 1	3,400
		Dec. 8	750
		Dec.12	800
		Dec.31	4,400

TRIAL BALANCE（試算表）
December 31, 1998

	Debit（借方）	Credit（貸方）
Cash（現金）	4,550	
Accounts Receivable（売掛金）	3,950	
Inventory Jan 1. 1998（期首棚卸資産）		
Land（土地）		
Accounts Payable（買掛金）		4,400
Common Stock（資本金）		4,500
Retained Earnings（利益剰余金）		3,800
Sales（売上）		11,700
Interest Revenue（受取利息）		650
Purchases（仕入）	9,350	
Rent Expense（支払家賃）	1,000	
Salaries Expense（給料）	3,600	
Insurance Expense（支払保険料）		
Interest Expense（支払利息）	2,600	
Total（合計）	25,050	25,050

※数字を変えて同じような内容の練習問題をいくつも出題しているのは、簿記が理論だけではないスキルであるためである。頭ではわかっていても、実際に書き出す作業をしてみないと理解できない。

つまり、考えかつ手を動かすこと、この両方が必要である。

第 3 章

棚卸資産
Inventory

1 棚卸資産(Inventory)

（1）棚卸資産(Inventory)とは何か

　この章では、商品(Merchandise)を仕入(Purchases)れし、仕入れた商品に利益(Profit)を上乗せして外部に販売する会社を前提として解説していく。

> 　もし、A社がB社から＄80で商品を仕入(Purchases)れし、C社に＄100でその商品を販売(Sales)したとすると、
> 　販売額＄100－仕入額＄80＝利益＄20
> 　となり、＄20が利益である。

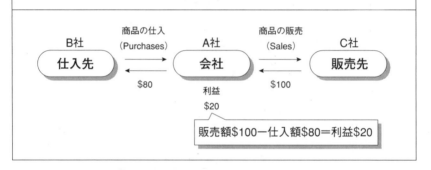

重要Point! ここをチェック　棚卸資産(Inventory)とは、ビジネスの過程において、販売(Sales)のために保有する有形の資産（商品：Merchandise)のことである。

　通常、企業は商品の注文があったときにすぐに対応ができるように多めに仕入れて在庫を置いておく。もし、在庫が少なすぎると顧客の注文に応えられず、得意先を逃がしてしまう恐れが出てくるからである。ただし、仕入が多すぎると在庫過剰になってしまい、倉庫に商品が山積み

となってしまう。また、販売量に比べて仕入量が多すぎるということは、現金の流入に比べて流出の方が多いということなので、資金繰りがうまくいかず、会社の経営が圧迫される可能性も出てくる。そこで、会社は常に最小限必要な量の商品を確保するよう努力をしている。よって、適正な在庫を管理することが重要になってくるのである。

《例》

テレビを販売する会社において、テレビを100台仕入(Purchases)れて60台しか販売(Sales)できなかった場合、40台手元に残っていることになる。この40台が棚卸資産(Inventory)である。

※実際には商品の数ではなく、金額で表示する。

(2) 棚卸資産(Inventory)と固定資産(Fixed Assets)の区別

有形資産は棚卸資産(Inventory)と固定資産(Fixed Assets)に区別されるが、この区別は、主として保有の目的の違いにある。どのような目的でその資産が保有されているかによって、簿記上の扱いが異なってくるので注意が必要だ。

重要Point! ここをチェック

販売目的で保有する有形資産→棚卸資産(Inventory)

会社の営業活動のために保有する有形資産→固定資産(Fixed Assets)

例えば、自動車メーカーは、自動車を販売する目的で保有しているので棚卸資産（Inventory）として計上する。しかし、営業活動などのために保有している自社の自動車は固定資産（Fixed Assets）として計上する。

なお、固定資産（Fixed Assets）については、第4章で学習する。

2 棚卸資産の取得原価 (Inventory Cost)

棚卸資産の取得原価（Inventory Cost）には、商品の仕入値段（Purchase Price of Merchandise）だけでなく、商品（Merchandise）を取得するために必要なすべての費用（付随費用）を含める。商品（Merchandise）の仕入（Purchases）に伴い、倉庫代（Warehousing）や運賃（Freight-in）、保険料（Insurance）などを負担することがある。これらが付随費用である。

例えば、商品の仕入れ値段が＄60で、倉庫代＄10、運賃＄6、保険料＄4だとすると、付随費用の合計は＄20で取得原価は＄80ということになる。

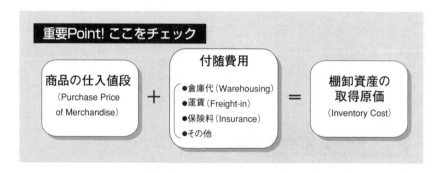

棚卸資産の取得原価（Inventory Cost）の計算には、個数（number of units）と単価（unit cost）の2つの変数（2 variables）を使用する。

暗記項目！これだけは覚えろ

$$\boxed{\substack{\text{個数}\\ \text{(number of units)}}} \times \boxed{\substack{\text{商品の単価}\\ \text{(unit cost)}}} = \boxed{\substack{\text{棚卸資産の}\\ \text{取得原価}\\ \text{(Inventory Cost)}}}$$

例えば、棚卸資産の取得原価（Inventory Cost）の総額が＄300という場合、この＄300の個数（number of units）と商品の単価（unit cost）の組み合わせはいろいろ考えられる。

個数（number of units）が10個、商品の単価（unit cost）が＄30
個数（number of units）が20個、商品の単価（unit cost）が＄15

などである。

---

3 棚卸資産 (Inventory) と売上原価 (Cost of Goods Sold：CGS) の関係

(1) 売上原価 (Cost of Goods Sold)

売上原価（Cost of Goods Sold）とは売れた商品（Merchandise）にかかった仕入コストである。

前章までは、売上（Sales）から仕入（Purchases）を差し引いた金額を当期純利益（Net Income）とみなしてきた。全部の商品（Merchandise）が販売されれば、これで問題はないのだが、実際には仕入（Purchases）れたすべての商品が販売（Sales）されるというわけではない。そこで、正確には仕入（Purchases）の代わりに売上げた商品の仕入コストを表す売上原価（Cost of Goods Sold）を売上（Sales）から差し引く。この売上（Sales）から売上原価（Cost of Goods Sold）を差し引いた金額を売上総利益（Gross Margin）という。

第3章　棚卸資産　123

売上
(Sales)

－

売上原価
(Cost of Goods Sold)

＝

売上総利益
(Gross Margin)

そして、売上総利益(Gross Margin)から営業費用(Operating Expenses)を差し引いた金額が、当期純利益(Net Income)となる。したがって、売上原価(Cost of Goods Sold)は、当期純利益(Net Income)の計算に大きな影響を及ぼす。

では、営業費用(Operating Expenses)とはいかなるものか。それは、売上原価(Cost of Goods Sold)以外の通常の営業に必要な費用(Expenses)のことで家賃(Rent Expense)や給料(Salaries Expense)等がある。

暗記項目！ これだけは覚えろ

Sales（売上）
－ Cost of Goods Sold（売上原価）

Gross Margin（売上総利益）
－ Operating Expenses（営業費用）

Net Income（当期純利益）

例えば、当期の売上(Sales)が＄100、売上原価(Cost of Goods Sold)が＄80、家賃や給料などの営業費用(Operating Expenses)が＄15であったとすると、売上総利益(Gross Margin)及び当期純利益(Net Income)は、以下のように計算される。

Sales	＄100
－Cost of Goods Sold	80
Gross Margin	20
－Operating Expenses	15
Net Income	＄5

(2) 期首棚卸資産（Beginning Inventory）と期末棚卸資産（Ending Inventory）

　前述のように、企業は通常多めに商品を仕入（Purchases）れて在庫を置いておく。したがって、仕入れた商品はすべて販売されず、一部は売れ残るのが普通である。

　期末（End of Year：通常12月31日）において売れ残った商品（Merchandise）が期末棚卸資産（Ending Inventory）であり、その年の期末棚卸資産（Ending Inventory）は、翌年の期首棚卸資産（Beginning Inventory）となる。例えば、1998年の期末棚卸資産（Ending Inventory）は年が変わって99年1月1日になると、99年の期首棚卸資産（Beginning Inventory）になる。

　期末棚卸資産（Ending Inventory）は、貸借対照表（Balance Sheet：B/S）の資産（Assets）項目として表示される。

　棚卸資産（Inventory）を考える際、ボックスを使って図で表すとわかりやすい（ボックスの見方はこれから詳しく説明する）。期末棚卸資産（Ending Inventory）と期首棚卸資産（Beginning Inventory）の関係をボックスを使って表すと、以下のようになる。

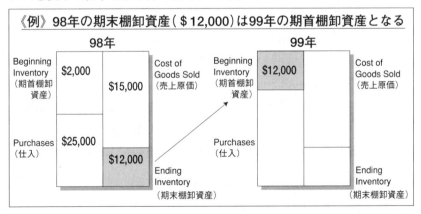

《例》98年の期末棚卸資産（$12,000）は99年の期首棚卸資産となる

(3) 棚卸資産（Inventory）と仕入（Purchases）、売上原価（Cost of Goods Sold）の関係

　ここで期首棚卸資産（Beginning Inventory）、期末棚卸資産（Ending Inventory）、仕入（Purchases）、売上原価（Cost of Goods Sold）の関係をボックスで表すと以下のようになる。

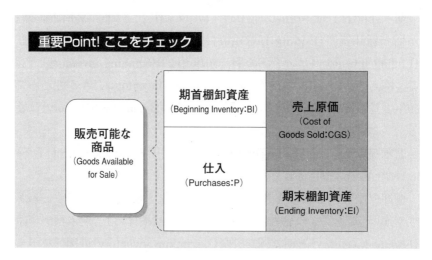

　上記のようにボックスを4つに分けて考える。ボックスの左上に期首棚卸資産（Beginning Inventory）、右下に期末棚卸資産（Ending Inventory）を記入する。すると、ボックスの左下部分が仕入（Purchases）、右上が売上原価（Cost of Goods Sold）を表す。

　ボックスの左側はその年度において販売可能な商品（Goods Available for Sale）を表している。つまり、期首棚卸資産（Beginning Inventory）とその会計期間（Accounting Period）内に仕入（Purchases）た商品（Merchandise）の合計が、その会計期間内に販売可能な商品（Goods Available for Sale）である。

ボックスの右側は、その会計期間内において販売可能な商品（Goods Available for Sale）がどれだけ販売され（売上原価＝Cost of Goods Sold）、どれだけ売れ残った（期末棚卸資産＝Ending Inventory）かを表している。売上原価（Cost of Goods Sold）は、販売した商品の仕入コストを示している。

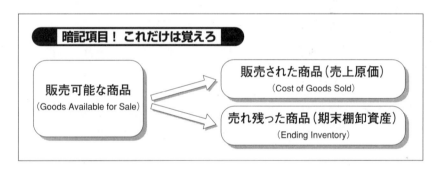

このように、販売可能な商品（Goods Available for Sale）は、通常売れるか、売れ残るかのどちらかしかない。そこで、販売可能な商品（Goods Available for Sale）から期末棚卸資産（Ending Inventory）を差し引くことにより、売上原価（Cost of Goods Sold）を算出することができる。

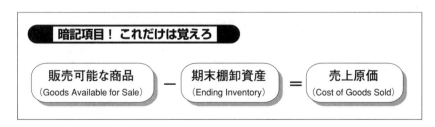

ここで期首棚卸資産（Beginning Inventory）、期末棚卸資産（Ending Inventory）、仕入（Purchases）、売上原価（Cost of Goods Sold）の関係を、具体例を使ってさらに説明していくことにしよう。

《例》

　期首にテレビが2台あり、その年度中に6台仕入（Purchases）れたとする。この場合、期首のテレビ2台が期首棚卸資産（Beginning Inventory）であり、これに当期中に仕入れた6台を加えた8台が、その年度の販売可能台数（Goods Available for Sale）となる。この8台のテレビのうち、7台のテレビが販売されたとすると1台倉庫に残る。この期末に売れ残った1台が期末棚卸資産（Ending Inventory）である。

　また、売れた7台が当期の売上原価（Cost of Goods Sold）になる。なお、期末に売れ残った1台は、翌年の期首棚卸資産（Beginning Inventory）となる。

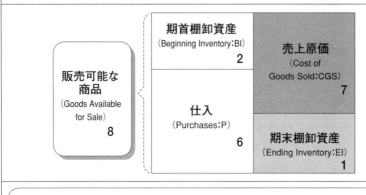

	Beginning Inventory（期首棚卸資産）	2
＋	Purchases（仕入）	＋　6
	Goods Available for Sale（販売可能な商品）	8
―	Ending Inventory（期末棚卸資産）	―　1
	Cost of Goods Sold（売上原価）	7

ここでは考え方を説明するためにテレビの台数で解説したが、実際には次の例のように個数ではなく金額で表す。

《例》

　98年度の期首棚卸資産(Beginning Inventory)が＄2,000、98年度中の仕入 (Purchases)が＄25,000 であったとする。この場合、98年度の販売可能な商品(Goods Available for Sale)は＄27,000 となる。

　期末に売れ残った商品、つまり期末棚卸資産(Ending Inventory)が＄12,000であったとすると、98年度の売上原価(Cost of Goods Sold)は＄15,000となる。

　また、98年度の期末棚卸資産(Ending Inventory)＄12,000は、99年度の期首棚卸資産(Beginning Inventory)となる。

Beginning Inventory（期首棚卸資産）		$ 2,000
＋ Purchases（仕入）		＋ 25,000
Goods Available for Sale（販売可能な商品）		27,000
ー Ending Inventory（期末棚卸資産）		ー 12,000
Cost of Goods Sold（売上原価）		$ 15,000

（4）期末棚卸資産（Ending Inventory）と売上原価（Cost of Goods Sold）の関係

　前述のように、売上原価（Cost of Goods Sold）は、期首棚卸資産（Beginning Inventory）と当期の仕入高（Purchases）の合計から、期末棚卸資産（Ending Inventory）を差し引いた残額として計算される。つまり、売上原価（Cost of Goods Sold）の計算には、期末棚卸資産（Ending Inventory）をいくらで評価するかが大きく関わってくるのである。

　ここで、具体例を使ってさらに説明していくことにしよう。

《例》棚卸資産のデータ

	個数（units）	単価（unit cost）
1/ 1 期首棚卸資産（Beginning Inventory）	100個 ✕	$20 ＝ $ 2,000
1/14 仕入（Purchases）	300個 ✕	$30 ＝ $ 9,000
3/26 仕入（Purchases）	150個 ✕	$40 ＝ $ 6,000
8/25 仕入（Purchases）	200個 ✕	$50 ＝ $10,000
販売可能な商品 （Goods Available for Sale）	750個	
750個のうち 売上（Sales）	500個	：500個が売れた。
期末棚卸資産（Ending Inventory）	250個	：250個が売れ残った。

　このデータから、期首棚卸資産（Beginning Inventory）が $2,000であり、その年の仕入は3回にわたって行われ合計が $25,000 であったということがわかる（$9,000＋$6,000＋$10,000）。

期末棚卸資産（Ending Inventory）及び売上原価（Cost of Goods Sold）の計算の際には、以下のように個数のボックスと金額のボックスを作成するとわかりやすい。

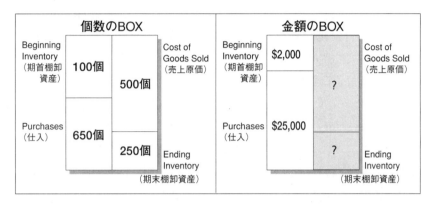

　金額のボックスにおけるCost of Goods SoldとEnding Inventoryの？マークの金額は計算して算出する。

　簿記上では、金額で表すことになるので、個数で表したボックスをさらに金額で表す必要がある。そこでわかりやすくするために、ボックスは個数と金額の2種類を書くものとする。

　個数のボックスでは、期首棚卸資産（Beginning Inventory）が100個、仕入（Purchases）が3回の合計で650個である。よって販売可能な個数は750個（100＋650）となる。

　販売可能な個数750個のうち実際に販売されたのが500個とすると、売上原価（Cost of Goods Sold）が500個、売れ残っている分（Ending Inventory）は250個（750－500）である。

　金額のボックスでは、データより計算して、期首棚卸資産（Beginning Inventory）が＄2,000、仕入（Purchases）が＄25,000となる。

　ボックスの右側には、売れた500個分の売上原価（Cost of Goods Sold）の金額と売れ残った250個分の期末棚卸資産（Ending Inventory）の金額が入る。

これらの金額の求め方には、いくつかの方法がある。これを棚卸資産の評価方法という。売上原価（Cost of Goods Sold：CGS）と期末棚卸資産（Ending Inventory：EI）の金額はこの評価方法により異なるのである。

　前ページの図でも、金額のボックスの売上原価（Cost of Goods Sold）と期末棚卸資産（Ending Inventory）の数字は、各評価方法によってその値が異なってくるので？マークとなっている。

　この章では、これらの金額の求め方を各評価方法別に見ていく。

　ところで、今までは売上原価（Cost of Goods Sold）と期末棚卸資産（Ending Inventory）をそれぞれ、商品の個数に応じて計算して求めていた。しかし、ボックスの左右が＄27,000でバランスがとれることに着目すれば、期末棚卸資産（Ending Inventory）の金額さえ求めれば、売上原価（Cost of Goods Sold）は差額で求めることができることがわかるだろう。

※差額（Plug）で売上原価（Cost of Goods Sold）を算出する

　差額のことを "Plug"（栓をするという意味）という。"Squeeze"（スクイーズ＝ぎゅっと絞って出す）という単語を使うこともあるが、今後、本書では差額を出すことを "Plug" ということにする。例えば「期末棚卸資産（Ending Inventory）を計算し、売上原価（Cost of Goods Sold）をPlugで算出する」、というように使うので覚えておいてほしい。

　また、通常は販売された商品の方が多く、売れ残った商品の方が少ないはずである。つまり期末棚卸資産（Ending Inventory）の金額の方が小さいので、これからは基本的に期末棚卸資産（Ending Inventory）を先に計算することとする。なぜならば、金額が小さいのでミスが少なくて済むからである。そして差額で売上原価（Cost of Goods Sold）を算出する。

　例えば、販売可能な商品（Goods Available for Sale）が＄27,000で、期末棚卸資産（Ending Inventory）が＄9,000のとき、その差額の＄18,000が売上原価（Cost of Goods Sold）ということになる。

ただし、実際には商品は、販売されるか、在庫となるかの2通りだけではなく、商品の破損、火災などによる損失、万引きなどが原因でどちらにも該当しなくなる場合がある。それらについてはここでは省略する。

重要Point! ここをチェック　　通常、期末棚卸資産（Ending Inventory）を先に計算して、売上原価（Cost of Goods Sold）を差額（Plug）で算出する。

棚卸資産の評価 (Inventory Valuation)

(1) 棚卸資産の評価（Inventory Valuation）の目的

棚卸資産（Inventory）は、原則として取得原価によって評価するが、

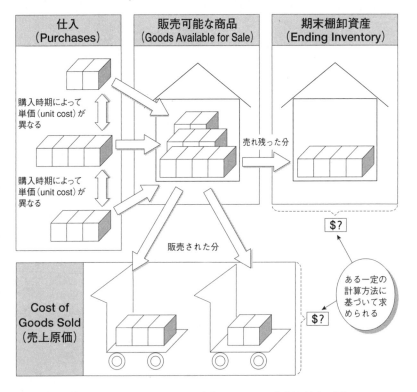

同一の棚卸資産であっても、仕入時期によって取得原価が異なることがある。同じ商品（Merchandise）を購入したとしても購入時期が異なれば単価（unit cost）も異なるし、また、仕入れる個数（number of units）も異なる。そのため、商品をどのような計算方法で、いくらで評価するかという問題が生じてくる。

何度にも及ぶ仕入のなかで、どの時期の仕入に該当する商品が販売された
れたのかをそのたびに記録していくことは、実際には困難である。そこ
で、会社はある一定の計算方法に基づいて、いくら販売し、いくら倉庫
に残っているのか、つまり売上原価（Cost of Goods Sold）と期末棚卸資
産（Ending Inventory）はいくらなのかを計算し評価する。この場合、実
際の商品の仕入、販売の流れとは違ったとしても、計算方法のルール通

りに商品が流れていくと「みなす」のである。

(2) 棚卸資産の評価方法（Inventory Valuation Methods）の選択

　棚卸資産（Inventory）、売上原価（Cost of Goods Sold）を評価する計算
方法にはさまざまなものがあり、個々の会社がどの計算方法を使用する
のかを選択することができる。ただし、原則として一度選択した計算方
法は、正当な理由がない限りみだりに変更してはならず、毎期継続して
使用しなければならない。なぜなら、評価方法（Inventory Valuation）に
よって当期純利益（Net Income）が異なってくるので、利益操作が可能と
なったり、企業の経営成績（Operating Results）の期間比較性が損なわれ
るからである。

　棚卸資産（Inventory）の評価額は、商品（Merchandise）の単価（unit cost）
に個数（number of units）を掛けて計算される。棚卸資産の代表的な評価

方法（Inventory Valuation）としては、個別法（Specific Identification）、総平均法（Weighted-Average）、先入先出法（First-in, First-out : FIFO）、後入先出法（Last-in, First-out : LIFO）の4種類がある。

重要Point! ここをチェック

《代表的な4つの棚卸資産の評価方法（Inventory Valuation）》

・**個別法（Specific Identification）**
どの商品が販売され、どの商品が売れ残っているのか個別に計算する。
The seller identifies which specific items are sold and which remains in ending inventory.

・**総平均法（Weighted - Average）**
商品の総平均単価(Average unit cost)を求め、その値を用いて計算する。
The total cost of goods available for sale is divided by the total number of units available for sale.

・**先入先出法（First - in, First - out：FIFO）**
先に仕入れた商品から先に販売したと仮定して計算する。
The first goods purchased are treated as the first items to be sold.

・**後入先出法（Last - in, First - out：LIFO）**
後に仕入れた商品から先に販売したと仮定して計算する。
The last goods purchased are treated as the first items to be sold.

---

5 棚卸資産の評価方法(Inventory Valuation Methods)

　棚卸資産の評価方法（Inventory Valuation Methods）は、業種、会社形態に応じ、さまざまな計算方法が認められているが、ここでは代表的な4つの方法を見ていこう。

　次の例をもとにして各評価方法を比較してみる。

《例》棚卸資産（Inventory）のデータ

		個数（units）	単価（unit cost）
1/ 1 期首棚卸資産（Beginning Inventory）		100個 ×	$20 = $ 2,000
1/14 仕入（Purchases）		300個 ×	$30 = $ 9,000
3/26 仕入（Purchases）	650個	150個 ×	$40 = $ 6,000
8/25 仕入（Purchases）		200個 ×	$50 = $10,000
販売可能な商品（Goods Available for Sale）		750個	
750個の内 *売上（Sales）		500個	：500個が売れた。
*期末棚卸資産（Ending Inventory）		250個	：250個が売れ残った。

（右側に $25,000 の括弧）

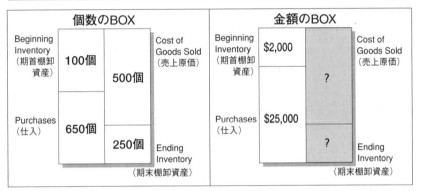

金額のボックスにおけるCost of Goods SoldとEnding Inventoryの？マークの金額を４つの棚卸資産の評価方法により算出する。

（1）個別法（Specific Identification）

個別法とは棚卸資産（Inventory）の原価を個別に特定し評価する方法である。つまり、売れ残った商品がどの時期にいくらの単価（unit cost）で仕入れたものかを選別する方法である。言い換えればどの商品が販売され、どの商品が売れ残ったのかを個別に、その会社が独自に判断し、棚卸資産の取得に要した費用をもって評価するのである。

この方法は安価かつ多量な棚卸資産には適さず、宝石や貴金属などの高価かつ少量な棚卸資産の評価に適している。

個別法（Specific Identification）の場合、いつ、いくらの単価で仕入れた商品が売れたのかを特定し、売れ残っている商品（期末棚卸資産）についてもいつ、いくらの単価で仕入れた物かを特定する。この結果、売上原価（Cost of Goods Sold）は売れた商品を構成する個々の仕入単価によって計算され、期末棚卸資産（Ending Inventory）も期末棚卸資産を構成する個々の仕入単価で計算される。

《例1》

期首棚卸資産（Beginning Inventory）が＄2,000で、当期の仕入（Purchases）が＄25,000であり、売上げた商品が500個であったとする。ここで、売上げた商品の内訳を、1月14日に＄30で仕入れた商品が300個、8月25日に＄50で仕入れた商品が200個というように決定したとする。

売上げた商品（500個）の内訳は下記のようになる。

| January 14 : | $30 × 300 units ＝ $ 9,000 |
| August 25 : | $50 × 200 units ＝ $10,000 |

売上原価（CGS）、期末棚卸資産（EI）はそれぞれ以下のように計算される。

売上原価（CGS）＝ $30 × 300 ＋ $50 × 200 ＝ $19,000

期末棚卸資産（EI）＝ 期首棚卸資産（BI）＋ 仕入（P）－ 売上原価（CGS）であるから
＝ $2,000 ＋ $25,000 － $19,000 ＝ $8,000 となる。

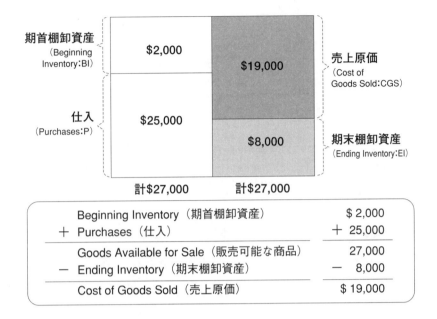

Beginning Inventory（期首棚卸資産）	$ 2,000
＋ Purchases（仕入）	＋ 25,000
Goods Available for Sale（販売可能な商品）	27,000
－ Ending Inventory（期末棚卸資産）	－ 8,000
Cost of Goods Sold（売上原価）	$ 19,000

＜個別法（Specific Identification）の欠点＞

　　個別法は利益操作が可能であるため、一般的には用いられない。利益操作とは会社が意図的に利益の額を変動させることである。

　例えば、利益を大きくしたいときには売上原価が小さくなるように仕入単価の小さい商品を売ったことにすれば利益が多くなる。

　また、逆に税金を多く払いたくないなどの理由で利益を少なくしたいときは、売上原価が大きくなるように仕入単価の大きい商品を売ったことにすれば利益が少なくなるのである。

《例2》

　　前ページの例のうち、売上げた500個の内訳を、1月14日に仕入れた300個のうちの150個、3月26日に仕入れた150個、8月25日に仕入れた200個と決定したとする。

売上げた商品（500個）の内訳は下記のようになる。

January 14	:	$30 × 150 units ＝ $ 4,500
March 26	:	$40 × 150 units ＝ $ 6,000
August 25	:	$50 × 200 units ＝ $10,000

売上原価(CGS)、期末棚卸資産(EI)はそれぞれ以下のように計算される。

売上原価(CGS)＝ $30 × 150 ＋ $40 × 150＋ $50 × 200 ＝ $20,500

期末棚卸資産(EI)＝ 期首棚卸資産(BI)＋ 仕入(P)－ 売上原価(CGS)であるから
　　　　　　　　　＝ $2,000 ＋ $25,000 － $20,500 ＝ $6,500 となる。

138ページの例と比較すると、売上原価(Cost of Goods Sold)は大きく期末棚卸資産(Ending Inventory)は小さくなっている。

このように、すべて同じ商品であっても単価が異なるため、どの商品を売ったことにするのかによって、売上原価(Cost of Goods Sold)及び期末棚卸資産(Ending Inventory)の金額が異なってくる。

(2) 総平均法(Weighted-Average)

総平均法(Weighted-Average)は、個々の取引で発生した金額の合計を、それら取引の数量の合計で割って、1個あたりの単価である総平均単価(Average unit cost)を算出し、これに期末棚卸資産の個数を掛けて、期末棚卸資産(Ending Inventory)の金額を算出する方法である。

重要Point! ここをチェック

総平均法（Weighted-Average）とは、商品の総平均単価（Average unit cost）を計算して、期末棚卸資産（Ending Inventory）の評価額を計算する方法である。

期末棚卸資産　＝　総平均単価　×　期末棚卸資産の個数
（Ending Inventory）　　（Average unit cost）

$$\text{総平均単価（Average unit cost）} = \frac{\text{期首棚卸資産の金額＋仕入の金額}}{\text{期首棚卸資産の個数＋仕入の個数}}$$

《例》

138ページの例をもとに、期首棚卸資産（Beginning Inventory）が $2,000（$20×100個）、当期に3回、$9,000（$30× 300個）、$6,000（$40×150個）、$10,000（$50× 200個）の順に仕入れた（Purchases）とすると、総平均単価（Average unit cost）は次のように $36となる。

$$\text{総平均単価（Average unit cost）} = \frac{\text{期首棚卸資産（BI）（\$2,000）＋当期仕入（P）（\$9,000＋\$6,000＋\$10,000）}}{\text{期首棚卸資産の個数（100個）＋仕入の個数（300個＋150個＋200個）}}$$

$$= \frac{\$27,000}{750個} = \$36$$

この総平均単価（Average unit cost）を使って、売上原価（Cost of Goods Sold）と期末棚卸資産（Ending Inventory）を計算すると、次ページのようになる。

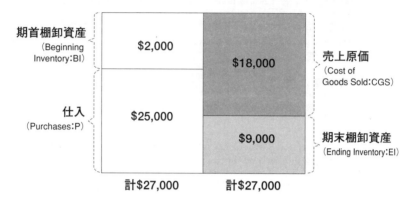

| 売上原価（Cost of Goods Sold） | : 500 units × $36 = $18,000 |
| 期末棚卸資産（Ending Inventory） | : 250 units × $36 = $ 9,000 |

	Beginning Inventory（期首棚卸資産）	$ 2,000
＋	Purchases（仕入）	＋ 25,000
	Goods Available for Sale（販売可能な商品）	27,000
―	Ending Inventory（期末棚卸資産）	― 9,000
	Cost of Goods Sold（売上原価）	$ 18,000

＜総平均法（Weighted-Average）の欠点＞

　総平均法の欠点は、期末（End of Year）まで期末棚卸資産（Ending Inventory）及び売上原価（Cost of Goods Sold）の計算ができないことである。なぜなら、総平均単価（Average unit cost）はその期の仕入（Purchases）がすべて終了しないと算出できないからである。

　例示したケースのように、合計金額＄27,000、全体の個数750個といった数字は、期末（通常は12月31日）まで集計不能である。しかし、いったん総平均単価（Average unit cost）が求められれば、その後の期末棚卸資産（Ending Inventory）及び売上原価（Cost of Goods Sold）の計算は容易である。

(3) 先入先出法(First-in, First-out : FIFO)

> **重要Point! ここをチェック**　先入先出法(FIFO……ファイフォ)
> とは、実際の物の流れとは無関係に、先(First)に仕入れた(In)物
> が先(First)に売れ(Out)、後から仕入れた物が売れ残っていると仮
> 定して、期末棚卸資産(Ending Inventory)の評価額を計算する方法
> である。

　First-inのinとは仕入(Purchases)れした、First-outのoutは販売(Sales)
した、という意味である。つまり、先入先出法とは先(First)に買った商
品(Merchandise)から先(First)に売れた(Sales)と「みなす」方法である。

暗記項目！ これだけは覚えろ

先入先出法(FIFO)：先に仕入れた物から先に出る(売れる)とみなす
　　　　　　　　　　方法

＜先入先出法（FIFO）の基本的な考え方＞

≪例≫仕入れが5個で売れ残り（期末棚卸資産）が3個の場合

（期首棚卸資産がゼロのケース）

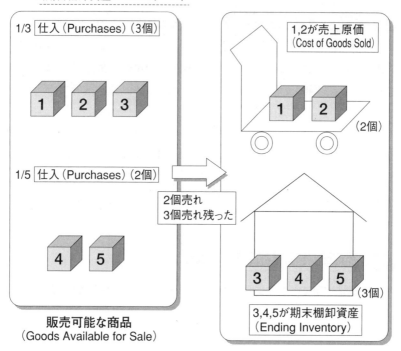

≪例≫

　ここでも、これまでと同じ例を使って説明する。先入先出法（FIFO）では、日付の早い順に商品に番号を1,2,3,4と付けると、1,2,3,4の順に買い、1,2,3,4の順に売れたとみなす。購入日によって単価が異なるため、購入の順番は計算上重要である。

1	1/ 1	Beginning Inventory	$20 × 100個 ＝ $ 2,000	期首棚卸資産
2	1/14	Purchases	$30 × 300個 ＝ $ 9,000	
3	3/26	Purchases	$40 × 150個 ＝ $ 6,000	仕入
4	8/25	Purchases	$50 × 200個 ＝ $10,000	

　当期の販売可能な商品（Goods Available for Sale）は期首棚卸資産

（Beginning Inventory）と仕入（Purchases）を合わせて750個になる。

　期末（End of Year）に250個売れ残っていたとすると、500個が売れた分となる。先入先出法（FIFO）では、期首棚卸資産（Beginning Inventory：BI）も含めて、古いもの（先に仕入れたもの）から順に売れていくと仮定しているから、期末棚卸資産（Ending Inventory：EI）は後から仕入れた商品で構成されていることになる。つまり、1,2,3,4の順に買って、1,2,3,4の順に売れたとみなすので、売れ残った商品は後から買った商品ということになる。

　通常、売れ残った商品の数の方が、売れた商品よりも少ないので、期末棚卸資産（EI）から先に計算していく。期末に売れ残った商品の個数は250個である。では、この250個の単価はいくらであろうか。売れ残った250個は後から買った商品なので、最後から数えていけばよい。その内訳は8月25日に単価＄50で仕入れた200個と3月26日に単価＄40で仕入れた150個のうちの50個ということになる。

　したがって期末棚卸資産（EI）は、以下のように計算される。

> 期末棚卸資産（Ending Inventory：EI）の内訳：8/25　＄50 × 200 units ＝ ＄10,000
> 　　　　　　　　　　　　　　　　　　　：3/26　＄40 × 　50 units ＝ ＄ 2,000

> 期末棚卸資産（EI）＝ ＄50 × 200個 ＋ ＄40 × 50個 ＝ ＄12,000

　期末棚卸資産（EI）が＄12,000なので、売上原価（Cost of Goods Sold）は以下のように差額（Plug）で求める。

> 売上原価（CGS）＝ 期首棚卸資産（BI）＋ 仕入（P）－ 期末棚卸資産（EI）であるから
> 　　　　　　　　＝ ＄2,000 ＋ ＄25,000 － ＄12,000 ＝ ＄15,000となる。

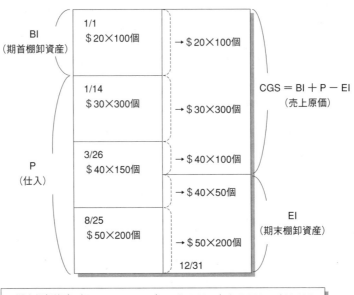

$$CGS = BI + P - EI$$
（売上原価）

BI
（期首棚卸資産）

P
（仕入）

EI
（期末棚卸資産）

期末棚卸資産（Ending Inventory）＝ $10,000 ＋ $ 2,000 ＝ $12,000

売上原価（Cost of Goods Sold）＝ $27,000 － $12,000 ＝ $15,000

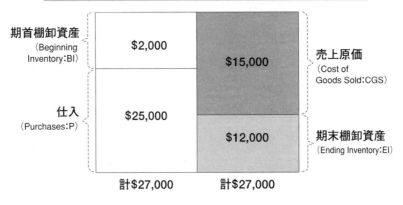

Beginning Inventory（期首棚卸資産）	$ 2,000
＋ Purchases（仕入）	＋ 25,000
Goods Available for Sale（販売可能な商品）	27,000
－ Ending Inventory（期末棚卸資産）	－ 12,000
Cost of Goods Sold（売上原価）	$ 15,000

(4) 後入先出法(Last-in, First-out：LIFO)

Last-inのinとは仕入(Purchases)、First-outのoutは販売(Sales)した、
という意味である。つまり、後(Last)で買った商品(Merchandise)から
先(First)に売れた(Sales)とみなす方法である。

暗記項目! これだけは覚えろ

後入先出法(LIFO)：後から仕入れた物から先に出る(売れる)とみな
　　　　　　　　　す方法

Tea time 7

ゼネラリストよりもスペシャリスト

　ある大企業の管理職がリストラされて職を探しに面接
に行き、面接担当者に「あなたには何ができますか」と
質問されたときに「部長ならできます」と答えたという
笑い話がある。さしたるスキルも身につけないで組織の
なかでぬくぬくと育ってきた典型的なタイプである。こ
ういう個性のないゼネラリストタイプの人はいまや企業
では不要な存在になりつつある。これまでの年功序列・終身雇用の雇用制度
では、ゼネラリスト重視の学歴社会なので、18, 19歳の頃にいい大学に入
っていったん就職すれば、努力しなくてもエスカレーター式に出世街道を進
むことができた。だがこれからは能力主義・実力主義の傾向が強まり、30,
40歳になって力をつけてきた人にもチャンスがある、スペシャリスト重視の
時代となる。例えば資格の取得はスペシャリストとしてのスキルを身につけ
たという客観的な指標となるだろう。

＜後入先出法（LIFO）の基本的考え方＞

《例》仕入れが5個で、売れ残り（期末棚卸資産）が3個の場合（期首棚卸資産がゼロのケース）

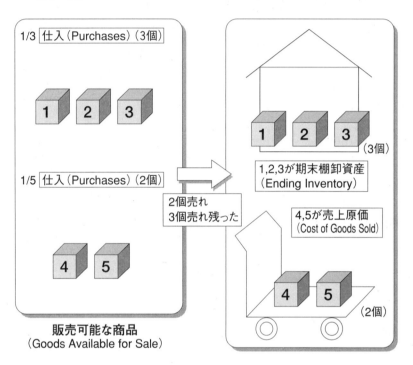

販売可能な商品
（Goods Available for Sale）

《例》

ここでも、これまでと同じ例を使って説明する。

後入先出法（LIFO）では日付の早い順に商品に番号を1,2,3,4と付けると、1,2,3,4の順に買い、4,3,2,1の順に売れたとみなす。(3)の先入先出法（FIFO）とは逆である。購入日によって単価が異なるため、先入先出法（FIFO）の場合と同様、購入の順番は計算上重要である。

1	1/ 1	Beginning Inventory	\$20 × 100個 ＝ \$ 2,000	期首棚卸資産
2	1/14	Purchases	\$30 × 300個 ＝ \$ 9,000	
3	3/26	Purchases	\$40 × 150個 ＝ \$ 6,000	仕入
4	8/25	Purchases	\$50 × 200個 ＝ \$10,000	

期末(End of Year)に250個売れ残っていたとすると、500個が売れた分となる。後入先出法(LIFO)では、新しい物、つまり後に仕入れた物から順に売れていくと仮定しているから、期末棚卸資産(Ending Inventory : EI)は、期首棚卸資産(Beginning Inventory : BI)も含めて先に仕入れた(Purchases)商品で構成されていることになる。

　つまり、1,2,3,4の順に買って、4,3,2,1の順に売れたとみなすので、売れ残った商品は先に買った商品ということになる。ここでも期末棚卸資産(Ending Inventory)から先に計算していく。期末に売れ残った商品の個数は250個である。この250個の単価はいくらであろうか。

　期末に売れ残った商品の250個は先に買った商品なので、最初から数えていけばよい。その内訳は単価$20で仕入れた期首棚卸資産(Beginning Inventory : BI)100個と1月14日に単価$30で仕入(Purchases)れた商品300個のうちの150個であるということになる。

　したがって、期末棚卸資産(Ending Inventory)は以下のように計算される。

期末棚卸資産(Ending Inventory:EI)の内訳 : 1/ 1　$20 × 100 units＝ $2,000
　　　　　　　　　　　　　　　　　　 : 1/14　$30 × 150 units＝ $4,500

期末棚卸資産(EI)＝ $20 × 100個 ＋ $30 × 150個 ＝ $6,500

　期末棚卸資産(Ending Inventory)が$6,500なので、売上原価(Cost of Goods Sold)は以下のように差額(Plug)で求める。

売上原価(CGS)＝ 期首棚卸資産(BI) ＋ 仕入(P) － 期末棚卸資産 (EI) であるから
　　　　　　　＝ $2,000 ＋ $25,000 － $6,500 ＝ $20,500となる。

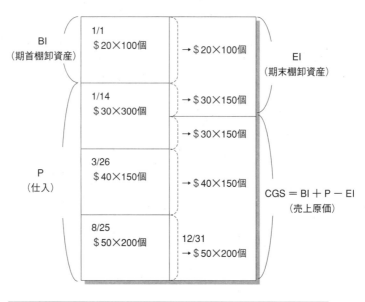

期末棚卸資産 (Ending Inventory)	= $ 2,000 ＋ $ 4,500 = $ 6,500
売上原価 (Cost of Goods Sold)	= $27,000 － $ 6,500 = $20,500

Beginning Inventory (期首棚卸資産)	$ 2,000
＋ Purchases (仕入)	＋ 25,000
Goods Available for Sale (販売可能な商品)	27,000
－ Ending Inventory (期末棚卸資産)	－ 6,500
Cost of Goods Sold (売上原価)	$ 20,500

6 棚卸資産の評価方法(Inventory Valuation Methods)と損益計算書(Income Statement : P/L)

　これまで説明してきた4種類の代表的な棚卸資産の評価方法(Inventory Valuation)を用いて売上原価(Cost of Goods Sold)を計算した場合の損益計算書(Income Statement : P/L)を作成してみよう。

> 　比較できるように、すべての売上(Sales)を＄30,000、営業費用(Operating Expenses)を＄7,000と一定金額にしてある。

（1）個別法(Specific Identification)

```
                        Anjo Corporation
                    Income Statement（損益計算書）
                  For the Year Ended December 31, 1998


Sales（売上）                                                    $30,000

Less（減算）: Cost of Goods Sold（売上原価）
            Beginning Inventory（期首棚卸資産）       $ 2,000
            Add（加算）: Purchases（仕入）              25,000
            Goods Available for Sale                 $27,000
            （販売可能な商品の原価）
            Less（減算）: Ending Inventory（期末棚卸資産）   8,000
            Cost of Goods Sold（売上原価）                            19,000
Gross Margin（売上総利益）                                        $11,000
Less（減算）: Operating Expenses（営業費用）                         7,000
            Net Income（当期純利益）                               $ 4,000
```

（2）総平均法（Weighted-Average）

```
                        Anjo Corporation
                    Income Statement（損益計算書）
                   For the Year Ended December 31, 1998

  Sales（売上）                                                        $30,000

  Less（減算）: Cost of Goods Sold（売上原価）
                Beginning Inventory（期首棚卸資産）        $ 2,000
                Add（加算）: Purchases（仕入）              25,000
                Goods Available for Sale                  $27,000
                （販売可能な商品の原価）
                Less（減算）: Ending Inventory（期末棚卸資産）  9,000
                Cost of Goods Sold（売上原価）                          18,000
  Gross Margin（売上総利益）                                            $12,000
  Less（減算）: Operating Expenses（営業費用）                            7,000
                Net Income（当期純利益）                                $ 5,000
```

（3）先入先出法（First-in, First-out : FIFO）

```
                        Anjo Corporation
                    Income Statement（損益計算書）
                   For the Year Ended December 31, 1998

  Sales（売上）                                                        $30,000

  Less（減算）: Cost of Goods Sold（売上原価）
                Beginning Inventory（期首棚卸資産）        $ 2,000
                Add（加算）: Purchases（仕入）              25,000
                Goods Available for Sale                  $27,000
                （販売可能な商品の原価）
                Less（減算）: Ending Inventory（期末棚卸資産）  12,000
                Cost of Goods Sold（売上原価）                          15,000
  Gross Margin（売上総利益）                                            $15,000
  Less（減算）: Operating Expenses（営業費用）                            7,000
                Net Income（当期純利益）                                $ 8,000
```

（4）後入先出法（Last-in, First-out：LIFO）

```
                        Anjo Corporation
                    Income Statement（損益計算書）
                  For the Year Ended December 31, 1998

Sales（売上）                                                      $30,000

Less （減算）: Cost of Goods Sold（売上原価）
              Beginning Inventory（期首棚卸資産）        $ 2,000
              Add（加算）: Purchases（仕入）              25,000
              Goods Available for Sale                   $27,000
              （販売可能な商品の原価）
              Less（減算）: Ending Inventory（期末棚卸資産）  6,500
              Cost of Goods Sold（売上原価）                         20,500
Gross Margin（売上総利益）                                        $ 9,500
Less （減算）: Operating Expenses（営業費用）                       7,000
              Net Income（当期純利益）                            $ 2,500
```

　以上のように、それぞれの損益計算書（Income Statement）を比較して
みると、期末棚卸資産（Ending Inventory）の評価額が、それぞれの評価
方法により異なるため、売上原価（Cost of Goods Sold）、売上総利益
（Gross Margin）、そして当期純利益（Net Income）に至るまで結果が異な
っていることがわかる。

　当期純利益（Net Income）の数字を比較しても

個別法（Specific Identification）	$4,000
総平均法（Weighted-Average）	$5,000
先入先出法（First-in, First-out：FIFO）	$8,000
後入先出法（Last-in, First-out：LIFO）	$2,500

と大きく異なる。

　しかし、これはあくまでも、1つの会計期間（Accounting Period）を比
較した場合にすぎず、長期間にわたって比較すれば、当期純利益（Net

Income)は平均化されるのである。

　棚卸資産の評価方法(Inventory Valuation Method)は企業の業種などに照らして、もっとも適しているものを選択し、これを毎期継続して適用しなければならない。正当な理由のない限り、これを変更することは認められない。会計期間(Accounting Period)ごとに、その期に有利な棚卸資産の評価方法(Inventory Valuation Method)を選択することは、当期純利益 (Net Income)の操作につながるからである。

1. 棚卸資産(Inventory)

　ビジネスの過程において販売(Sales)のために保有する有形の資産(商品:Merchandise)。これを在庫ともいう。

2. 棚卸資産の取得原価(Inventory Cost)

3. 棚卸資産(Inventory)の流れと売上原価(Cost of Goods Sold)の計算方法

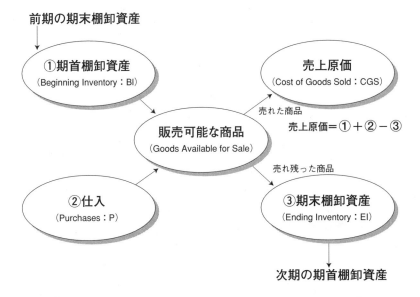

4．売上総利益（Gross Margin）の計算方法

　　　売上高（商品を売った代金）（Sales）

　—　　売上原価（売れた商品の仕入れコスト）（Cost of Goods Sold）
——
　　　売上総利益（Gross Margin）

ここから営業費用（Operating Expenses）を
差し引いて当期純利益（Net Income）を
計算する

5．棚卸資産の評価方法（Inventory Valuation Methods）

1）個別法（Specific Identification）⇒売った商品、残っている商品を個別に特定する
2）総平均法（Weighted-Average）⇒商品の総平均単価（Average unit cost）を用いて計算する
3）先入先出法（First-in, First-out：FIFO）⇒先に仕入れた商品から先に出る（売れる）と仮定する
4）後入先出法（Last-in, First-out：LIFO）⇒後から仕入れた商品から先に出る（売れる）と仮定する

売上原価（Cost of Goods Sold） 期末棚卸資産（Ending Inventory）　の金額は評価方法（Valuation Method）により異なる

6．先入先出法（FIFO）と後入先出法（LIFO）の基本的な考え方

先入先出法（FIFO）：先に仕入れたものから先に出る（売れる）と
みなす方法

《例》

仕入が5個で、売れ残り（期末棚卸資産）が3個の場合（期首棚卸資産がゼロのケース）

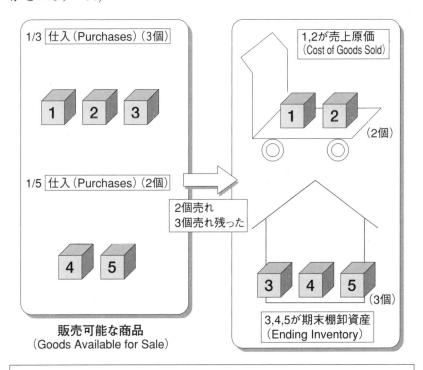

販売可能な商品
（Goods Available for Sale）

後入先出法（LIFO）：後から仕入れたものから先に出る（売れる）と
みなす方法

《例》

仕入が5個で、売れ残り（期末棚卸資産）が3個の場合（期首棚卸資産がゼロのケース）

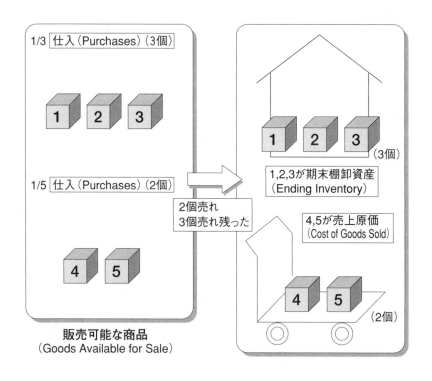

販売可能な商品
（Goods Available for Sale）

1,2,3が期末棚卸資産
（Ending Inventory）

4,5が売上原価
（Cost of Goods Sold）

7．単価（Unit Cost）が異なる場合のFIFOとLIFO

通常、物価は上昇するので、同じ商品でも単価が同じとは限らない。

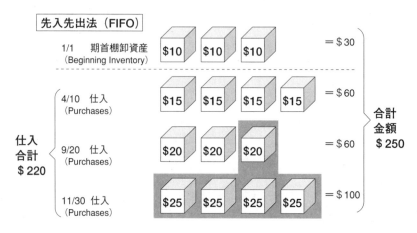

期末棚卸資産（Ending Inventory：EI）が5個であったとすると、

期末棚卸資産（Ending Inventory：EI）の計算	売上原価（Cost of Goods Sold：CGS）の計算
11/30仕入分 $25×4個＝$100 9/20仕入分 $20×1個＝$ 20 $120	CGS＝合計金額－期末棚卸資産（EI） 　　＝$250－$120 　　＝$130

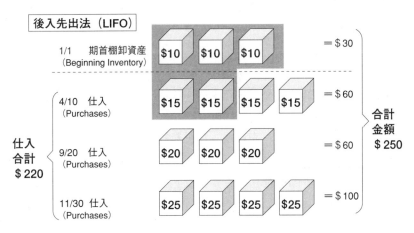

後入先出法（LIFO）

1/1　期首棚卸資産（Beginning Inventory）　$10 $10 $10　＝$ 30

4/10　仕入（Purchases）　$15 $15 $15 $15　＝$ 60

9/20　仕入（Purchases）　$20 $20 $20　＝$ 60

11/30　仕入（Purchases）　$25 $25 $25 $25　＝$ 100

仕入合計 $ 220

合計金額 $ 250

期末棚卸資産（Ending Inventory：EI）が5個であったとすると、

期末棚卸資産（Ending Inventory：EI）の計算	売上原価（Cost of Goods Sold：CGS）の計算
期首棚卸資産 $10×3個＝$30 4/10仕入分 $15×2個＝$30 $60	CGS＝合計金額－期末棚卸資産（EI） 　　＝$250－$60 　　＝$190

問題1

　カッコのなかに適当と思われる語句を入れなさい。〔　　〕には日本語、＜　　＞には英語が入ります。

1. 棚卸資産(Inventory)とは、〔①　　〕のために保有する有形の資産のことです。具体的にいうと、倉庫に残っている商品のことであり、棚卸資産(Inventory)は、資産であるので〔②　　〕の勘定科目です。
　棚卸資産(Inventory)を考える際、ボックスを使うとわかりやすくなります。期末において、売れ残った期末棚卸資産を英語で＜③　　＞といい、期首において存在している期首棚卸資産を英語で＜④　　＞といいます。ボックスを使って表すと以下のようになります。

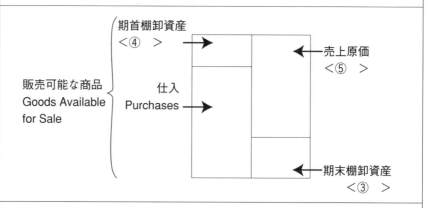

2. Goods Available for Saleとは、その年度内に販売することが可能な商品のことであり、その年度内に仕入(Purchases)れた商品と期首棚卸資産＜④　　＞を足したものです。販売可能な商品(Goods Available for Sale)は、その年度において、販売すれば、販売された商品の仕入コストを表す売上原価＜⑤　　＞となります。また、売れ残れば、期末棚卸

資産となります。

販売可能な商品
（Goods Available for Sale）

売上原価＜⑤　＞

期末棚卸資産＜③　＞

また、今年度の期末棚卸資産は、翌年度の期首棚卸資産＜④　＞と一致します。なぜなら、年度が変わっただけで、商品が倉庫からなくなるわけではないからです。

問題 2

カッコのなかに適当と思われる語句を入れなさい。＜　＞には英語、（　）には数字が入ります。

1. ANJO 株式会社の1998年 1 月 1 日の棚卸資産（Inventory）は、5,000ドルでした。1998年度中にANJO株式会社は、商品を合計で23,000ドル購入し、販売したところ、1998年12月31日の棚卸資産（Inventory）は、4,000 ドルでした。この場合、売上原価（Cost of Goods Sold）は（①　　）ドルとなります。なぜならば、1998年度に販売可能な商品（②　　）ドルは販売されるか売れ残るかのどちらかであり、期末棚卸資産が（③　　）ドルなので、売上原価（Cost of Goods Sold）は、1998年度に販売可能な商品から期末棚卸資産（Ending Inventory）を差し引くことで求められるからです。

Beginning Inventory	5,000		Cost of Goods Sold
		（①　　　）	
Purchases	23,000	4,000	Ending Inventory

2. ANJO株式会社の1998年度の売上(Sales)は、32,000ドルでした。売上原価(Cost of Goods Sold)は、1.の値を用い、営業費用(Operating Expenses)を、3,000ドルとするならば、当期純利益(Net Income)は(④　)ドルとなります。当期純利益(Net Income)は、以下のようにして求められます。

Sales		32,000
ー <⑤　>	ー	24,000
<⑥　>		(⑦　)
ー Operating Expenses	ー	3,000
Net Income		(⑧　)

問題 3

Anjo Company had merchandise of 300 units at December 1, 1998 costing $ 25 each. Purchases during December were as follows:

	Units	Unit cost
Dec.11	200	$ 35
Dec.20	300	$ 40
Dec.25	100	$ 50

Inventory counted on December 31, 1998 shows 350 units.

Ending Inventory at December 31, 1998 under the weighted-average method is

 a $ 15,000

 b $ 12,250

 c $ 10,250

 d $ 9,250

【和訳】

　Anjo社は、1998年12月1日において単価＄25の商品300個を保有していた。12月中の仕入は以下のとおりであった。

	個数	単価
12月11日	200	＄35
12月20日	300	＄40
12月25日	100	＄50

　1998年12月31日（期末）においては、350個の商品が残っていた。総平均法による1998年12月31日の期末棚卸資産はいくらか。

　　a　＄15,000
　　b　＄12,250
　　c　＄10,250
　　d　＄　9,250

　Anjo Company had merchandise of 300 units at December 1, 1998 costing ＄25 each. Purchases during December were as follows:

	Units	Unit cost
Dec.11	200	＄35
Dec.20	300	＄40
Dec.25	100	＄50

　Inventory counted on December 31, 1998 shows 350 units.

Ending Inventory at December 31, 1998 under the FIFO method is

　　a　＄15,000
　　b　＄12,250
　　c　＄10,250
　　d　＄　9,250

【和訳】

Anjo社は、1998年12月1日において単価＄25の商品300個を保有していた。12月中の仕入は以下のとおりであった。

	個数	単価
12月11日	200	＄35
12月20日	300	＄40
12月25日	100	＄50

1998年12月31日（期末）においては、350個の商品が残っていた。先入先出法による1998年12月31日の期末棚卸資産はいくらか。

　　a　＄15,000

　　b　＄12,250

　　c　＄10,250

　　d　＄ 9,250

問題 5

Anjo Company had merchandise of 300 units at December 1, 1998 costing ＄25 each. Purchases during December were as follows:

	Units	Unit cost
Dec.11	200	＄35
Dec.20	300	＄40
Dec.25	100	＄50

Inventory counted on December 31, 1998 shows 350 units.

Ending Inventory at December 31, 1998 under the LIFO method is

　　a　＄15,000

　　b　＄12,250

　　c　＄10,250

　　d　＄ 9,250

【和訳】

Anjo社は、1998年12月1日において単価＄25の商品300個を保有していた。12月中の仕入は以下のとおりであった。

	個数	単価
12月11日	200	＄35
12月20日	300	＄40
12月25日	100	＄50

1998年12月31日（期末）においては、350個の商品が残っていた。後入先出法による1998年12月31日の期末棚卸資産はいくらか。

   a ＄15,000

   b ＄12,250

   c ＄10,250

   d ＄ 9,250

問題6

Prepare Anjo Corp.'s Income Statement using the following Inventory data. The company uses the Weighted-Average method.

	Units	Unit cost
Beginning Inventory	100	$20
Purchases		
January 14	300	$30
March 26	150	$40
August 25	200	$50
Ending Inventory	300	?

【和訳】

　次の棚卸資産に関する資料をもとに、Anjo社の損益計算書を作成しなさい。棚卸資産の評価は総平均法による。

	個数	単価
期首棚卸資産	100	$20
仕入 　1月14日 　3月26日 　8月25日	 300 150 200	 $30 $40 $50
期末棚卸資産	300	?

Anjo Corp.

Income Statement

For the Year Ended December 31, 19XX

Sales		$ 30,000
Less : Cost of Goods Sold		
Beginning Inventory	$ 2,000	
Add : Purchases	☐	
Goods Available for Sale	$ ☐	
Less : Ending Inventory	☐	
Cost of Goods Sold		☐
Gross Margin		$ ☐
Less : Operating Expenses		7,000
Net Income		$ ☐

Prepare Anjo Corp.'s Income Statement using the following Inventory data. The company uses the First-in, First-out (FIFO) method.

	Units	Unit cost
Beginning Inventory	100	$20
Purchases		
January 14	300	$30
March 26	150	$40
August 25	200	$50
Ending Inventory	300	?

【和訳】

次の棚卸資産に関する資料をもとに、Anjo社の損益計算書を作成しなさい。棚卸資産の評価は先入先出法による。

	個数	単価
期首棚卸資産	100	$20
仕入		
1月14日	300	$30
3月26日	150	$40
8月25日	200	$50
期末棚卸資産	300	?

Anjo Corp.

Income Statement

For the Year Ended December 31, 19XX

Sales $ 30,000

Less : Cost of Goods Sold

    Beginning Inventory $ 2,000

    Add : Purchases   [   ]

    Goods Available for Sale $ [   ]

    Less : Ending Inventory   [   ]

    Cost of Goods Sold   [   ]

Gross Margin $ [   ]

Less : Operating Expenses   7,000

    Net Income $ [   ]

Prepare Anjo Corp.'s Income Statement using the following Inventory data. The company uses the Last-in, First-out (LIFO) method.

	Units	Unit cost
Beginning Inventory	100	$20
Purchases		
January 14	300	$30
March 26	150	$40
August 25	200	$50
Ending Inventory	300	?

【和訳】

　次の棚卸資産に関する資料をもとに、Anjo社の損益計算書を作成しなさい。棚卸資産の評価は後入先出法による。

	個数	単価
期首棚卸資産	100	$20
仕入		
1月14日	300	$30
3月26日	150	$40
8月25日	200	$50
期末棚卸資産	300	?

Anjo Corp.

Income Statement

For the Year Ended December 31, 19XX

Sales		$ 30,000
Less : Cost of Goods Sold		
Beginning Inventory	$ 2,000	
Add : Purchases	☐	
Goods Available for Sale	$ ☐	
Less : Ending Inventory	☐	
Cost of Goods Sold		☐
Gross Margin		$ ☐
Less : Operating Expenses		7,000
Net Income		$ ☐

Tea time 8

日本再生のキーワード

　バブル崩壊で勢いを失った日本経済が復活するには、①各人が自信を持つこと、②将来の夢を持つこと、③夢に向かって行動すること、これら3つのキーワードがカギである。たとえば英文会計を身につければ国際的に通用するスキルを持ったことになり大きな自信になる。勉強は将来に向けての自己投資である。自信がついたら転職、起業などで夢を実現していってほしい。

問題1　解答

①販売
②貸借対照表（B/S）
③Ending Inventory
④Beginning Inventory
⑤Cost of Goods Sold

問題2　解答

①24,000　　⑤Cost of Goods Sold
②28,000　　⑥Gross Margin
③4,000　　 ⑦8,000
④5,000　　 ⑧5,000

売上原価は、販売可能な商品から期末棚卸資産を差引くことで求められます。

販売可能な商品　　　＝期首棚卸資産　　＋　仕入
(Goods Available for Sale)　(Beginning Inventory)　(Purchases)
　　　　　　　　　　＝ 5,000ドル　　　＋　23,000ドル　＝ 28,000ドル

売上原価　　　　　　＝ 販売可能な商品 －　期末棚卸資産
(Cost of Goods Sold)　(Goods Available for Sale)　(Ending Inventory)
　　　　　　　　　　＝ 28,000ドル　　 －　4,000ドル　＝ 24,000ドル

当期純利益 ＝　売上　 － 売上原価　 －　営業費用
(Net Income)　(Sales)　(Cost of Goods Sold)　(Operating Expenses)
　　　　　　＝32,000ドル － 24,000ドル － 3,000ドル　＝ 5,000ドル

売上（Sales）から売上原価（Cost of Goods Sold）を差引いたものを
売上総利益（Gross Margin）といいます。

[商品の個数をボックスで示すと]

[商品の金額をボックスで示すと]

Weighted-average method（総平均法）とは、商品の総平均単価を計算してEnding Inventory（期末棚卸資産）を求める方法で、総平均単価は、$31,500を900個で割った$35となり、これに期末棚卸資産の350個を掛けて計算される。

総平均単価
$31,500 ÷ 900 ＝ $35

350 × $35 ＝ $12,250
よって、b $12,250が正しい。

172

[商品の個数をボックスで示すと]

[商品の金額をボックスで示すと]

FIFO method（先入先出法）とは、先に仕入れたものから先に売れるとみなす方法なのでEnding Inventory（期末棚卸資産）の350個は、12/25仕入分の100個（単価 $50）と、12/20仕入分の300個のうちの250個（単価 $40）として計算される。

$$100 \times \$50 = \$5,000$$
$$250 \times \$40 = \$10,000$$

350個　　　　　$15,000

よって、a $15,000が正しい。

[商品の個数をボックスで示すと]

[商品の金額をボックスで示すと]

LIFO method（後入先出法）とは、後から仕入れたものから先に売れるとみなす方法なので Ending Inventory（期末棚卸資産）の350個は、Beginning Inventory（期首棚卸資産）の300個（単価 $25）と、12/11仕入分200個のうちの50個（単価 $35）として計算される。

$$300 \times \$25 \ = \ \$7,500$$
$$\underline{\ 50 \times \$35} \ = \ \underline{\$1,750}$$

350個　　　　　$9,250

よって、d $9,250が正しい。

Anjo Corp.
Income Statement（損益計算書）
For the Year Ended December 31, 19XX

Sales（売上）		$30,000
Less（差引）: Cost of Goods Sold（売上原価）		
Beginning Inventory（期首棚卸資産）	$ 2,000	
Add（加算）: Purchases（仕入）	25,000	
Goods Available for Sale（販売可能な商品）	$27,000	
Less（減算）: Ending Inventory（期末棚卸資産）	10,800	
Cost of Goods Sold（売上原価）		16,200
Gross Margin（売上総利益）		$13,800
Less（差引）: Operating Expenses（営業費用）		7,000
Net Income（当期純利益）		$ 6,800

Beginning Inventory（期首棚卸資産）	12/1	100個 $2,000		
Purchases（仕入）	1/14	300個 $9,000	450個 $16,200	Cost of Goods Sold（売上原価）
	3/26	150個 $6,000		
	8/25	200個 $10,000	300個 $10,800	Ending Inventory（期末棚卸資産）
		$27,000（750個）	$27,000（750個）	

①総平均単価　　$27,000 ÷ 750個 ＝ $36
②期末棚卸資産　$36 × 300個　　＝ $10,800
③売上原価　　　$36 × 450個　　＝ $16,200
　　　　　　　（又は、$27,000 － $10,800）

Anjo Corp.
Income Statement（損益計算書）
For the Year Ended December 31, 19XX

Sales（売上）		$30,000
Less（差引）: Cost of Goods Sold（売上原価）		
Beginning Inventory（期首棚卸資産）	$ 2,000	
Add（加算）: Purchases（仕入）	25,000	
Goods Available for Sale（販売可能な商品）	$27,000	
Less（減算）: Ending Inventory（期末棚卸資産）	14,000	
Cost of Goods Sold（売上原価）		13,000
Gross Margin（売上総利益）		$17,000
Less（差引）: Operating Expenses（営業費用）		7,000
Net Income（当期純利益）		$10,000

Beginning Inventory （期首棚卸資産）	1/1	100個 $ 2,000	450個 $ 13,000	Cost of Goods Sold （売上原価）
	1/14	300個 $ 9,000		
Purchases （仕入）	3/26	150個 $ 6,000		
	8/25	200個 $ 10,000	300個 $ 14,000	Ending Inventory （期末棚卸資産）
	$ 27,000（750個）		$ 27,000（750個）	

①期末棚卸資産

8/25分	$50 × 200個	=	$10,000
3/26分	$40 × 100個	=	$ 4,000
	300個		$14,000

②売上原価　$27,000 － $14,000 ＝ $13,000

Anjo Corp.
Income Statement（損益計算書）
For the Year Ended December 31, 19XX

Sales（売上）　　　　　　　　　　　　　　　　　　　　　　　　　　$30,000

Less　（差引）: Cost of Goods Sold（売上原価）
　　　　　　　Beginning Inventory（期首棚卸資産）　　　　$ 2,000
　　　　　　　Add（加算）: Purchases（仕入）　　　　　　　25,000
　　　　　　　Goods Available for Sale（販売可能な商品）　$27,000
　　　　　　　Less（減算）: Ending Inventory（期末棚卸資産）　8,000
　　　　　　　Cost of Goods Sold（売上原価）　　　　　　　　　　　　19,000
Gross Margin（売上総利益）　　　　　　　　　　　　　　　　　　　　$11,000
Less　（差引）: Operating Expenses（営業費用）　　　　　　　　　　　7,000
　　　　　　　Net Income（当期純利益）　　　　　　　　　　　　　　$ 4,000

Beginning Inventory（期首棚卸資産）	1/1	100個 $2,000		
Purchases（仕入）	1/14	300個 $9,000	450個 $19,000	Cost of Goods Sold（売上原価）
	3/26	150個 $6,000		
	8/25	200個 $10,000	300個 $8,000	Ending Inventory（期末棚卸資産）
		$27,000（750個）	$27,000（750個）	

①期末棚卸資産
　期首分　　$20 × 100個 ＝ $2,000
　1/14分　　$30 × 200個 ＝ $6,000
　　　　　　　　　300個　　$8,000

②売上原価　$27,000 － $8,000 ＝ $19,000

Tea time 8

インターネット時代には大きな本社ビルは必要ない

　インターネット時代の経営はスピードが重要だ。スピード経営にはスリムな組織が有利であり、小さな会社にチャンスが開けてくる。いまや大きな本社ビルを構える大会社なら信用できるという時代ではない。山一證券、北海道拓殖銀行が破綻し、多くの大会社がリストラに躍起になっているのはその現実を物語っている。一方で20代、30代で億万長者の社員を何人も抱えるベンチャー企業が育ってきているのだ。

大きければ大きいほどリスクがあるなぁ

第 4 章

固定資産

Noncurrent Assets

1 流動資産(Current Assets)

(1) 流動資産(Current Assets)と固定資産(Noncurrent Assets)の分類

これまでは、貸借対照表(Balance Sheet : B/S)において、Debit側に資産(Assets)を、Credit側には負債(Liabilities)と資本(Stockholders' Equity)を書くと説明してきた。これからは、これらの分類をもう少し細かく分けて見ていくことにする。まず、資産(Assets)は流動資産(Current Assets)と固定資産(Noncurrent Assets)に分けられる。

なお、固定資産はFixed Assetsということもある。

重要Point! ここをチェック

流動資産(Current Assets)とは、比較的短期間に現金化されると予想される資産を総称したものである。短期間とは、正常営業循環基準(Operating Cycle Rule)や一年基準(One Year Rule)によって判定される。

現金(Cash)、売掛金(Accounts Receivable)、棚卸資産(Inventory)などが流動資産(Current Assets)として分類される。

流動資産(Current Assets)以外のものが、固定資産(Noncurrent Assets またはFixed Assets)である。

同じように負債も二つに分けられる。短期のものを流動負債(Current Liabilities)といい、長期のものを固定負債(Noncurrent Liabilities)という。

負債(Liabilities)でわかりやすいのが、短期の借入金と長期の借入金である。両者は返済が1年以内かどうかで区別する。例えば9カ月の借入金は短期借入金となり、5年の借入金は1年を超えているので、長期借入金となる。負債(Liabilities)や資本(Stockholders' Equity)は目に見え

ず、少々概念的にわかりにくいので、まず目に見えてわかりやすい資産（Assets）を中心にここでは学んでいこう。

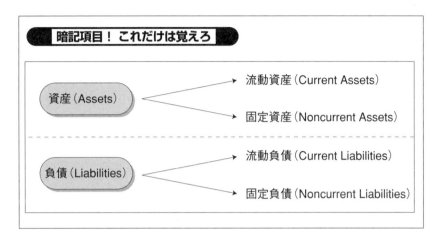

　貸借対照表（Balance Sheet：B/S）上の表示も、資産（Assets）と負債（Liabilities）をそれぞれ二つに分ける。資産では流動資産（Current Assets）を上に、固定資産（Noncurrent Assets）を下に書く。負債（Liabilities）もまた同様に流動負債（Current Liabilities）を上に、固定負債（Noncurrent Liabilities）を下に書く。

貸借対照表（Balance Sheet）

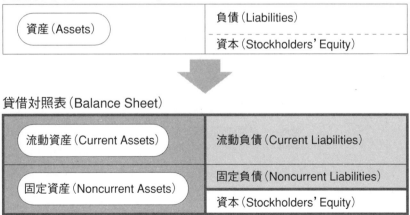

（2）流動資産（Current Assets）と固定資産（Noncurrent Assets）の分類の基準

　資産（Assets）を流動（Current）と固定（Noncurrent）に分類する基準には、正常営業循環基準（Operating Cycle Rule）と一年基準（One Year Rule）の2つがある。この2つがどういったものかを、解説していくことにしよう。

①正常営業循環基準（Operating Cycle Rule）

　正常営業循環基準（Operating Cycle Rule）では、正常な営業循環または周期（Normal Operating Cycle）内に回収されるものを流動資産（Current Assets）に含める。正常な営業循環というのは、企業の通常の営業活動において、商品を購入（Purchases）して、その商品を販売（Sales）し、さらに現金（Cash）を回収するまでの周期をいう。

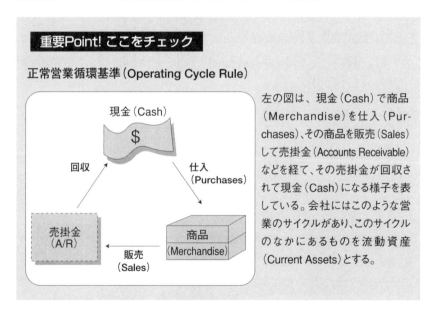

重要Point! ここをチェック

正常営業循環基準（Operating Cycle Rule）

左の図は、現金（Cash）で商品（Merchandise）を仕入（Purchases）、その商品を販売（Sales）して売掛金（Accounts Receivable）などを経て、その売掛金が回収されて現金（Cash）になる様子を表している。会社にはこのような営業のサイクルがあり、このサイクルのなかにあるものを流動資産（Current Assets）とする。

《例》

次に具体的な仕訳（Journal Entry）を用いて、正常営業循環基準（Operating Cycle Rule）を見てみよう。

---

①商品（Merchandise）$80を信用取引で仕入（Purchases）れた。

> （Dr.）Purchases　　　　　　80 /（Cr.）Accounts Payable　　80

その後、支払いをすると、

> （Dr.）Accounts Payable　　80 /（Cr.）Cash　　　　　　　　80

- -

②$80で仕入れた商品（Merchandise）を$100で信用取引によって販売（Sales）した。

> （Dr.）Accounts Receivable　100 /（Cr.）Sales　　　　　　　100

その後、実際に現金(Cash)を受取ったら、

> （Dr.）Cash　　　　　　　100 /（Cr.）Accounts Receivable　100

　この仕訳（Journal Entry）に出てくる資産（Assets）の勘定科目（Account）——現金（Cash）と売掛金（Accounts Receivable）——は流動資産（Current Assets）である。流動資産（Current Assets）には、現金（Cash）の他に正常な営業循環において、すぐ現金（Cash）になるものが含まれる。ここでは売掛金（Accounts Receivable）がそれに該当する。

　実際には売掛金（Accounts Receivable）が現金（Cash）になるには、1カ月後や3カ月後というように取引によって異なるが、通常の営業活動に関するものは1年で区切らず、すべて流動資産（Current Assets）にするというルールがある。これが正常営業循環基準（Operating Cycle Rule）である。

②一年基準（One Year Rule）

　正常営業循環基準（Operating Cycle Rule）に含まれなかった資産（Assets）については、一年基準（One Year Rule）を適用して流動（Current）

か、固定（Noncurrent）かに分ける。

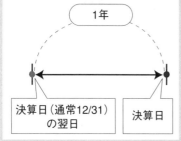

正常営業循環基準（Operating Cycle Rule）で
分類できない場合、決算日（通常、12/31）の
翌日から起算して入出金の期限が1年以内の
ものを<u>流動（Current）</u>とする。

《例》

　一年基準（One Year Rule）の例をあげてみる。

借入期間が9カ月の借入金：短期借入金 ➡ 流動負債（Current Liabilities）
借入期間が5年の借入金　：長期借入金 ➡ 固定負債（Noncurrent Liabilities）

　流動資産（Current Assets）か固定資産（Noncurrent Assets）かの区別は、
一年基準（One Year Rule）または正常営業循環基準（Operating Cycle Rule）
のいずれかによって判断する。しかし企業の通常の商取引以外から発生
したものについては、正常営業循環基準（Operating Cycle Rule）が当て
はまらないので、一年基準（One Year Rule）によってのみ判断すること
になる。

　流動資産（Current Assets）と流動負債（Current Liabilities）については、
第5章でもう少し詳しく学習する。

2 固定資産(Noncurrent Assets)

(1)固定資産(Noncurrent Assets)

　固定資産(Noncurrent Assets)とは、販売目的ではなく会社での使用を目的として長期間(Long-Term)保有する資産(Assets)である。販売目的で保有する商品(Merchandise)は、固定資産(Noncurrent Assets)とはならない。棚卸資産(Inventory)となり、流動資産(Current Assets)に分類される。

　固定資産(Noncurrent Assets)はさらに、有形固定資産(Tangible Assets)と無形固定資産(Intangible Assets)に分けられる。

有形固定資産(Tangible Assets)…形のある資産。手で触れることができるもの。

(例)土地(Land)、建物(Building)、機械(Machine)など。

無形固定資産(Intangible Assets)…形のない資産。つまり、形はないが資産価値のあるもの。

(例)特許権(Patent)、商標権(Trademark)など。

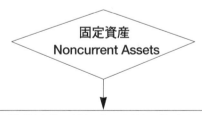

固定資産
Noncurrent Assets

●主に営業活動に使用する目的の資産(Assets)
●普通は営業活動に役立たなくなるまで使用する

固定資産
（Noncurrent Assets）

→ 有形固定資産（Tangible Assets）

→ 無形固定資産（Intangible Assets）

重要Point! ここをチェック 営業マンが営業をするために乗る車は、販売するためのものではなく、営業活動のためのものである。この場合、車は固定資産（Noncurrent Assets）となる。しかし、例えば外国から車を輸入して日本で販売している会社が、販売のために保有している車は商品（Merchandise）であり、固定資産ではない。この場合は、棚卸資産（Inventory）となり、流動資産（Current Assets）に分類される。

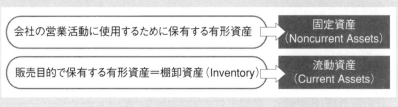

会社の営業活動に使用するために保有する有形資産 ⇒ 固定資産（Noncurrent Assets）

販売目的で保有する有形資産＝棚卸資産（Inventory） ⇒ 流動資産（Current Assets）

(2) 有形固定資産（Tangible Assets）の購入

有形固定資産（Tangible Assets）を購入したときは、「資産（Assets）の増加（Increase）」となり、借方（Debit）に当該有形固定資産（Tangible Assets）の勘定科目（Account）を記録する。

186

《例》

・土地（Land）を購入し、現金$300を支払った（Paid）。
(Dr.) Land 300 / (Cr.) Cash 300
・機械（Machine）を購入し、現金$300を支払った（Paid）。
(Dr.) Machine 300 / (Cr.) Cash 300

＜有形固定資産（Tangible Assets）の取得原価（Acquisition Cost）＞

　有形固定資産（Tangible Assets）の取得原価（Acquisition Cost）には、購入価額の他に、使用までに要した支出をも含める。土地（Land）を購入したときに支払った諸経費（例えば保険料）は土地（Land）の取得原価（＄300）に含まれる。機械（Machine）を購入したときに支払った諸経費（例えば、設置費、試運転費など）も同様に、機械（Machine）の取得原価（＄300）に含まれる。

3 減価償却（Depreciation）

(1) 減価償却（Depreciation）とは

重要Point! ここをチェック　有形固定資産（Tangible Assets）は、その取得にかかるコスト（取得原価）を使用する期間（耐用年数：Useful Life）にわたって適正に配分する必要がある。この手続きを減価償却（Depreciation）という。

　有形固定資産（Tangible Assets）は、購入後長期間にわたって使用するものであるが、さまざまな原因によって価値が次第に減少し、営業活動に使用できなくなれば処分される。使用する期間（耐用年数：Useful

Life）は、3年、5年、あるいは10年などさまざまである。企業は、これら有形固定資産（Tangible Assets）（機械、営業車など）を使用することによって営業活動を行う。言い換えると、これらの有形固定資産（Tangible Assets）は、企業の収益（Revenues）稼得に貢献するものである。

　したがって、時間の経過とともに生じる有形固定資産（Tangible Assets）の価値の減少は、収益（Revenues）稼得に貢献した分として費用（Expenses）に計上することになる。そのために、有形固定資産（Tangible Assets）の取得にかかるコスト（Cost）を、それを使用する期間（耐用年数：Useful Life）にわたって一定の方法で配分するのである。配分されたコスト（Cost）の一部は、その資産（Assets）を使用することによって生じた収益（Revenues）に対応する費用（Expenses）—これを減価償却費（Depreciation Expense）という—として計上される。

　もしも、有形固定資産（Tangible Assets）を購入した年度に、その購入額全額を費用（Expenses）として計上したならば、それは経済実態と合わない。なぜならば、購入年度以降も有形固定資産（Tangible Assets）の使用によって、収益（Revenues）を稼得することができるのに、それに対応する費用（Expenses）が購入年度以降は計上されないのでは、収益（Revenues）と、収益（Revenues）を得るためにかかった費用（Expenses）を対応させることができず、適正な期間損益計算を行うことができないからである。

　通常、有形固定資産（Tangible Assets）の価値は、時間の経過とともに減少していく。その価値の減少分を、その有形固定資産（Tangible Assets）を使用してもたらされる収益（Revenues）に対応する費用（Expenses）と考え、使用する期間（耐用年数：Useful Life）にわたって計上していく。この手続きを減価償却（Depreciation）という。

　減価償却（Depreciation）の目的は、収益（Revenues）と、その収益を得るためにかかった費用（Expenses）を対応させて適正な期間損益計算を行うことである。しかし、どのくらい資産価値が減少したかということを、物理的に正確に認識することは難しい。よって、減価償却

（Depreciation）による費用計上を過大にしたり、また逆に過小にしたりといった経営者の恣意性を排除するために、計画的・規則的に減価償却（Depreciation）することが必要となるのである。

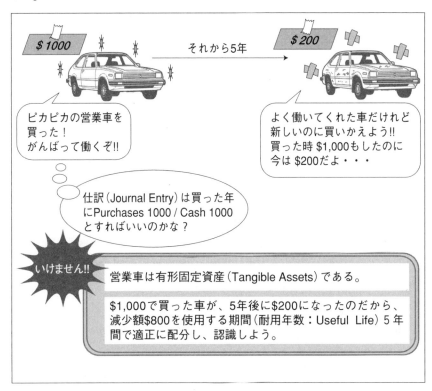

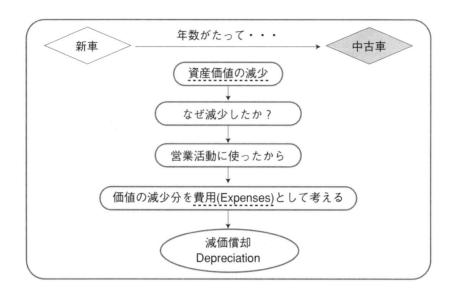

《例》

97年、98年、99年の3年間使用可能な有形固定資産（Tangible Assets）である機械（Machine）を＄300で購入したとする。
● 取得にかかるコスト（Cost）は購入原価＄300である。
● 使用する期間（耐用年数：Useful Life）とは、資産の使用可能な年数のことで、3年である。

適正に配分するとは、97年に＄300で購入した費用をすべて97年の費用（Expenses）にしないということである。使用するのは97年の1年間だけではなく3年間であるため、97年、98年、99年の3年間にわたって、少しずつ費用（Expenses）として計上していく。これが減価償却（Depreciation）によるコスト（Cost）の配分である。

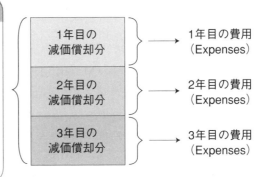

減価償却（Depreciation）

機械（Machine）のコスト（Cost）〔$300〕を使用する期間（耐用年数：Useful Life）〔3年〕にわたり、会社の採用した減価償却（Depreciation）の計算方法に基づいて、毎年少しずつ費用（Expenses）として計上していく。

1年目の減価償却分 → 1年目の費用（Expenses）

2年目の減価償却分 → 2年目の費用（Expenses）

3年目の減価償却分 → 3年目の費用（Expenses）

（2）減価償却（Depreciation）と当期純利益（Net Income）

次に減価償却（Depreciation）と当期純利益（Net Income）の関係について、以下の例を使って説明していこう。

> 97年1月1日に機械（Machine）＄300を現金（Cash）で購入したとする。この機械（Machine）は3年間使用できたとする。

《例》購入時の仕訳（Journal Entry）

購入時の仕訳（Journal Entry）は以下のようになる。

97年1/1　　(Dr.)Machine（機械）　　300　/　(Cr.)Cash（現金）　　300

機械（Machine）も現金（Cash）も資産（Assets）なので、増加（Increase）は借方（Debit）側、減少（Decrease）は貸方（Credit）側に記入する。ここでは機械（Machine）が増えて現金（Cash）が減っているので、上のような仕訳（Journal Entry）になる。機械（Machine）は費用（Expenses）ではなく資産（Assets）であることに注意しなければならない。

《例》購入時に全額費用処理した場合＝減価償却をしなかった場合⇒(誤)

　仮に機械（Machine）の取得にかかるコスト（Cost）を97年だけの費用（Expenses）とし、機械（Machine）の使用により毎年＄500の収益（Revenues）があったとすると以下のようになる（単純化するため、それ以外の費用（Expenses）は生じないものとする）。

単位：＄（ドル）

	97年	98年	99年
Revenues（収益）	500	500	500
Expenses（費用）	300	0	0
Net Income（当期純利益）	200	500	500

　97年、98年、99年も同じようにこの機械（Machine）を使って、同じように＄500の収益をあげているにもかかわらず当期純利益（Net Income）は異なる結果になっている。実際は3年間とも同じ経営成績なのに、97年だけに機械（Machine）の取得によるコスト（Cost）を負担させているので、97年よりも98年、99年の方が経営成績が良いという結果になる。これでは企業の経済実態を示しているとはいえない。

　98年、99年も同じように機械（Machine）を使用しているのだから、費用（Expenses）を何らかの形で計上すべきである。

《例》減価償却（Depreciation）をした場合

　機械（Machine）の取得にかかるコスト（Cost）を、使用する期間（耐用年数：Useful Life）に配分（Allocation）してみると、次のようになる。

単位：＄（ドル）

	97年	98年	99年
Revenues（収益）	500	500	500
Expenses（費用）	100	100	100
Net Income（当期純利益）	400	400	400

３年間のうちに徐々に価値が減少していき、３年後には価値が＄０になると考える。そして価値が減少（Decrease）した分を費用（Expenses）として計上する。

　このようにコスト（Cost）を使用する期間に配分するのは、この機械（Machine）を使用することによって収益（Revenues）が生まれるからである。例えば製品を作るために機械（Machine）を使用し、その製品を販売することによって収益（Revenues）が生まれるというような場合である。

　収益（Revenues）とそれを稼得するのに必要な費用（Expenses）を対応（Match）させることが、適正な経営成績（Operating Results）の計算には必要となる。

《例》減価償却（Depreciation）をした場合―残存価額（Salvage Value）を考慮した場合

　先の例では、３年後には価値が＄０になってしまうと考えた。しかし、現実には３年後に機械（Machine）の価値がまったくなくなりゼロになることはあまりない。通常は中古として販売することが可能である。

　このような、耐用年数（Useful Life）終了時に、その資産を売却すれば受取れるであろうと期待される推定価額を残存価額（Salvage Value）という。

　この場合、費用（Expenses）として配分される額は取得原価（Cost）から残存価額（Salvage Value）を引いた額となる。

> そこで、先の例の機械（Machine）の残存価額（Salvage Value）が＄30であるとする。

　すると、＄270［取得原価（Cost）＄300－残存価額（Salvage Value）＄30］をこの機械（Machine）が使用できる期間（耐用年数：Useful Life）に配分することとなる。＄270を３年間使用すると毎年＄90（＄270÷３年）ずつ価値が減少（Decrease）していくことになる。

以上の事項を考慮して、当期純利益(Net Income)を計算すると、次のようになる。

単位：$(ドル)

	97年	98年	99年
Revenues(収益) Expenses(費用)	500 90	500 90	500 90
Net Income(当期純利益)	410	410	410

収益(Revenues)が毎年$500あるとすると、当期純利益(Net Income)は毎年$410となる。

(3)減価償却費(Depreciation Expense)の計上

減価償却(Depreciation)によって各期に配分(Allocation)された額は、減価償却費(Depreciation Expense)という費用(Expenses)として損益計算書(Income Statement：P/L)に計上される。減価償却費(Depreciation Expense)は決算整理(Adjustments)の際に次のように仕訳(Journal Entry)される〔決算整理(Adjustments)は第5章の学習内容である〕。

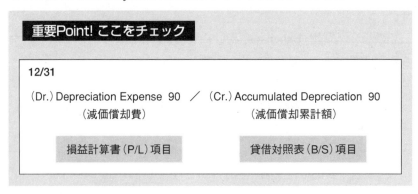

減価償却累計額(Accumulated Depreciation)は、今までにどれだけ減価償却費(Depreciation Expense)を計上してきたか、つまり、減価償却

(Depreciation)の累計額を表すものだ。そしてこれは資産(Assets)のマイナス勘定と考える。

　なぜなら、減価償却費(Depreciation Expense)は資産価値の減少分であり、現在の資産価値は資産の取得原価(Cost)から今までに毎期計上した減価償却費(Depreciation Expense)の累計額(＝ Accumulated Depreciation)を差し引いた額になるからである。この現在の資産の価値をNet Book Value(簿価:帳簿上の価値という意味)と呼ぶ。

重要Point! ここをチェック

Net Book Value(簿価)＝ Cost(取得原価) ― Accumulated Depreciation
(減価償却累計額)

　貸借対照表(B/S)において、減価償却累計額(Accumulated Depreciation)は固定資産(Noncurrent Assets)からマイナスするという形で表示される。

　減価償却費(Depreciation Expense)は費用(Expenses)なので損益計算書(P/L)項目であり、一方の減価償却累計額(Accumulated Depreciation)は貸借対照表(B/S)項目である。貸借対照表(B/S)項目は累積するから減価償却累計額(Accumulated Depreciation)は97年期末は＄90、98年期末は＄180、99年期末は＄270と貸借対照表(B/S)上に示されることになる。それに伴って簿価(Net Book Value)は、97年期末は＄210(300－90)、98年期末は＄120(300－180)、99年期末は＄30(300－270)となる。

＜1年目(97年度)＞

　先の例で、1年目(97年度)の減価償却を考えてみよう。

　97年12月31日の仕訳(Journal Entry)は次のようになる(減価償却の仕訳は、期末:通常12/31に行う)。

| 97年12/31 | Depreciation Expense 90 / Accumulated Depreciation 90 |

元帳（Ledger）に転記（Posting）すると

Depreciation Expense （P/L）		Accumulated Depreciation （B/S）	
12/31　90			12/31　90
12/31　90			12/31　90

＜1997年＞　B/Sの減価償却累計額と薄価

貸借対照表（B/S）
1997年12月31日

Noncurrent Assets（固定資産）　　　　　　取得原価（Cost）

Machine（機械）　　　　　　　　　　　　300

Less（減算）：Accumulated Depreciation　　90　210
　　　　　（減価償却累計額）

簿価（Net Book Value）

＜2年目（98年度）＞

次に2年目（98年度）の減価償却を考えてみよう。

97年12月31日の仕訳（Journal Entry）と同様の仕訳が98年12月31日にも行われる。

98年12/31	Depreciation Expense　90 / Accumulated Depreciation　90

元帳（Ledger）に転記（Posting）すると

Depreciation Expense （P/L）		Accumulated Depreciation （B/S）	
12/31	90	1/1	90
		12/31	90
12/31	90	12/31	180

P/L項目は累計せず、B/S項目は累計していくことを思い出そう。

減価償却費（Depreciation Expense）は、損益計算書（P/L）の勘定科目（Account）なので、年度が変われば費用は0から計上するため、今年度も＄90となる。一方、減価償却累計額（Accumulated Depreciation）は、貸借対照表（B/S）の勘定科目（Account）であり、その時点での残高を表すものなので、前年度の＄90と今年度の＄90を足して＄180となる。貸借対照表（B/S）上では、減価償却累計額（Accumulated Depreciation）が＄180なので、機械（Machine）の価値（薄価：Net Book Value）は98年12月31日には、＄120（300－180）になっていることがわかる。

> **重要Point! ここをチェック**　　貸借対照表（B/S）を見ると、会社が＄300で機械（Machine）を購入し、これまでに＄180の減価償却（Depreciation）をして、現在この機械（Machine）の価値（薄価）は＄300ではなく＄120である、ということがわかる。

<1998年＞　B/Sの減価償却累計額と薄価

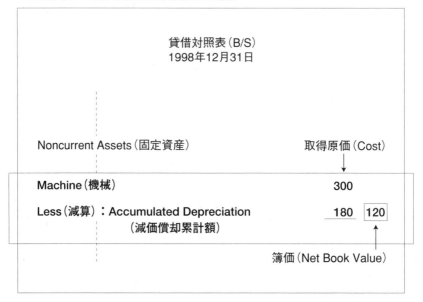

貸借対照表（B/S）
1998年12月31日

Noncurrent Assets（固定資産）　　　　　取得原価（Cost）

Machine（機械）　　　　　　　　　　　　　　300

Less（減算）：Accumulated Depreciation　　180　120
　　　　　　　（減価償却累計額）

簿価（Net Book Value）

＜3年目（99年度）＞

さらに、3年目（99年度）についても見ていこう。

99年12月31日にも同様な仕訳（Journal Entry）がなされる。

99年12/31	Depreciation Expense　90 / Accumulated Depreciation　90

元帳（Ledger）に転記（Posting）すると

Depreciation Expense （P/L）		Accumulated Depreciation （B/S）	
12/31　90			1/1　180
			12/31　90
12/31　90			12/31　270

＜1999年＞　B/Sの減価償却累計額と薄価

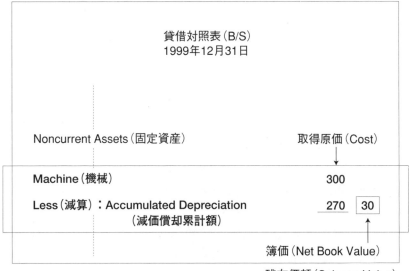

貸借対照表（B/S）
1999年12月31日

Noncurrent Assets（固定資産）　　　　　　　取得原価（Cost）

Machine（機械）　　　　　　　　　　　　　300

Less（減算）：Accumulated Depreciation　　　270　30
　　　　　　　（減価償却累計額）

簿価（Net Book Value）

＝残存価額（Salvage Value）

99年に、さらに減価償却累計額（Accumulated Depreciation）は＄90増えて、＄270となる。したがって機械（Machine）の価値は＄30（300−270）となる。この＄30が残存価額（Salvage Value）である。

　これまで見てきたように、減価償却費（Depreciation Expense）は、資産価値の減少を費用化するために計上するものであるが、直接資産（Assets）—このケースでは機械（Machine）—の価値を減らすのではなく、減価償却累計額（Accumulated Depreciation：AD）という勘定科目（Account）を用いる。

> 　もし、減価償却累計額（Accumulated Depreciation）の勘定科目（Account）を使用せず、機械（Machine）の価値が＄90減少（Decrease）したからといって、直接、機械（Machine）＄90を貸方（Credit）に計上したらどうなるだろうか。

仕訳（Journal Entry）は、

(Dr.) Depreciation Expense	90 / (Cr.) Machine	90

となり、機械（Machine）の元帳（Ledger）の残高は＄210となる。

Machine			
1/1	300	12/31	90
12/31	210		

　機械（Machine）の元帳の残高が＄210ということは、最終的な貸借対照表（B/S）の残高を表す簿価（Net Book Value）と同じであっても、「Machine（機械）＄210」とだけしか表示されないため、資産の取得原価（Cost）がわからなくなってしまう。

　つまり、資産（Assets）を直接、減額（Decrease）してしまうと、貸借対照表（B/S）の利用者は、その資産が買ったばかりのものなのか、それとも何年も使っていて減価償却（Depreciation）した後のものなのかが判断

できないのである。

　しかし、減価償却累計額(Accumulated Depreciation：AD)という勘定
科目(Account)を用いれば、同じ＄210でも、さらに取得原価(Cost)や取
得からの減価償却の累計額などの詳しい情報を提供できるのである。減
価償却累計額(AD)は、資産(Assets)の価値を控除する意味合いを持つ
勘定科目(Account)である。このような勘定科目(Account)のことを評
価勘定(Valuation Account)という。

<誤> (Dr.)Depreciation Expense 90 / (Cr.)Machine　　　　　　　　　90

<正> (Dr.)Depreciation Expense 90 / (Cr.)Accumulated Depreciation　90

<誤>	<正>
損益計算書(P/L) For the Year Ended December 31, 1997 Depreciation Expense　　90	損益計算書(P/L) For the Year Ended December 31, 1997 Depreciation Expense　　90
貸借対照表(B/S) December 31, 1997 Machine　　　　　　　210	貸借対照表(B/S) December 31, 1997 Machine　　　　　　　300 Less：AD　　　　　90 <u>210</u>

AD＝Accumulated Depreciation

4 減価償却の計算方法 (Depreciation Method)

　減価償却（Depreciation）にはいろいろな計算方法があり、会社によって自由に選択ができる。ただし、いったん選択された減価償却方法は、毎期継続して使用する必要があり、正当な理由がない限り変更(Change)することはできない。なぜなら、みだりに変更することは、会社の利益操作につながるからである。

暗記項目！ これだけは覚えろ

具体的な減価償却の計算方法（Depreciation Method）には、以下のようなものがある。

> (1) 定額法（Straight-Line：SL）
> (2) 二倍定率法（Double-Declining Balance：DDB）
> (3) 級数法（Sum-of-the-Years' Digits：SYD）

　これらは毎期の減価償却費（Depreciation Expense）の計算方法であり、どの方法を使用するかによって毎期計上される金額が異なるが、仕訳（Journal Entry）自体は同じように、借方（Debit）に減価償却費（Depreciation Expense）、貸方（Credit）に減価償却累計額（Accumulated Depreciation）の勘定科目（Account）を用いる。

減価償却(Depreciation)を計算する上で考慮すべき要素は、次の3つである。

①取得原価(Cost) ― 資産(Assets)を買い入れたときの値段。これには、その資産の代価だけではなく、それを取得するためにかかった付随費用(運賃、保険料など)も含む。

②耐用年数(Useful Life) ― 資産(Assets)が正常に使用できる年数。

③残存価額(Salvage Value) ― 使用期間(耐用年数：Useful Life)経過後、資産(Assets)を処分したときに得られる予想金額である。

次の例をもとに各計算方法を比較してみよう。

《例》 $20,000(Cost)の機械(Machine)を1月1日に購入した。耐用年数(Useful Life)4年で、残存価額(Salvage Value)が$4,000であるとする。

(1) 定額法(Straight-Line：SL)

前述の「3．減価償却費(Depreciation Expense)の計上」の説明で取り上げた《例》は定額法(Straight-Line：SL)によるものであった。

定額法(Straight-Line：SL)は、有形固定資産(Tangible Assets)を使用する期間(耐用年数：Useful Life)にわたって、毎期均等額の減価償却費(Depreciation Expense)を計上する方法である。

定額法（Straight-Line：SL）の場合、毎期の減価償却費（Depreciation Expense）は次の計算式で算出される。

$$\text{Depreciation Expense（減価償却費）} = \frac{\text{Cost（取得原価）} - \text{Salvage Value（残存価額）}}{\text{Useful Life（耐用年数）}}$$

$$= \boxed{\frac{\$20,000 - \$4,000}{4}} = \$4,000$$

定額法（Straight-Line：SL）とは、取得原価（Cost）から残存価額（Salvage Value）を引いて、その引いたものを耐用年数（Useful Life）で割って求める方法である。

この例では、毎期の減価償却費（Depreciation Expense）は＄4,000となる。

よって、減価償却（Depreciation）の仕訳（Journal Entry）は毎期、次のようになる。

1年目

12/31　(Dr.)Depreciation Expense 4,000 / (Cr.)Accumulated Depreciation 4,000

2年目

12/31　(Dr.)Depreciation Expense 4,000 / (Cr.)Accumulated Depreciation 4,000

3年目

12/31　(Dr.)Depreciation Expense 4,000 / (Cr.)Accumulated Depreciation 4,000

4年目

12/31　(Dr.)Depreciation Expense 4,000 / (Cr.)Accumulated Depreciation 4,000

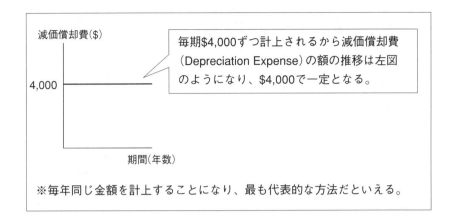

※毎年同じ金額を計上することになり、最も代表的な方法だといえる。

(2) 二倍定率法（Double-Declining Balance：DDB）

二倍定率法（DDB）は毎年一定額ではなく、加速度的（Accelerated）な減価償却（Depreciation）をする方法である。資産（Assets）の耐用年数（Useful Life）の早期においては減価償却費（Depreciation Expense）が大きな額になり、後期になればなるほどその額は小さくなる。

たとえば新車を購入した場合に、購入直後はうれしくて毎日のように乗ったが、2年目以降は新鮮さもなくなって、だんだん乗らなくなってしまったというようなケースはよくある話だ。このように、会社でも新しい機械を導入すれば最初の頃に多く使用するということがある。この二倍定率法（DDB）の考え方は、最初に多く使用するのだからその分だけ費用も多く計上しようというものである。そして2年目以降は少しずつ減価償却額を減少させていく、という考え方に基づいている。

二倍定率法（Double-Declining Balance：DDB）の場合、毎期の減価償却費（Depreciation Expense）は、資産（Assets）の期首（Beginning of Year）の簿価（Net Book Value）に定額法（SL）の償却率の2倍の償却率を掛けて計算される。

　二倍定率法（DDB）の場合、減価償却費（Depreciation Expense）の計算のベースとなる金額は簿価（Net Book Value）なので、取得原価（Cost）から残存価額（Salvage Value）を差し引かない。しかし、費用（Expenses）として配分される要償却額は、あくまでも取得原価（Cost）から残存価額（Salvage Value）を差し引いた金額であることに注意すべきである。

　定額法（SL）では耐用年数（Useful Life）が4年のとき、取得原価（Cost）から残存価額（Salvage Value）を引いた金額に1/4（25%）を掛けていた。

　二倍定率法（DDB）では定額法（SL）の償却率の2倍になるので、25%の2倍、つまり50%で減価償却（Depreciation）をすることになる。

$$定額法（SL）の償却率 \ = \ \frac{1}{\text{Useful Life（耐用年数）}} \ = \ \frac{1}{4}$$

DDBの償却率はSL（定額法）の償却率の2倍なので、25%×2＝50%となる。

二倍定率法（DDB）の毎期の減価償却費（Depreciation Expense）は、次の計算式で計算される。

Depreciation Expense（減価償却費）
　＝ 期首（Beginning of Year）のNet Book Value（簿価）× 償却率
　　　　　　　　　　　　　　　　　　　　　　　（この例では50%）

二倍定率法（DDB）の場合、減価償却費（Depreciation Expense）は、期首（Beginning of Year）の簿価（Net Book Value）に償却率の50％を掛けた金額になる。簿価（Net Book Value）とは、現在残っている価値のことで、取得原価（Cost）から、減価償却累計額（Accumulated Depreciation）を引くことにより、求められる。

暗記項目！ これだけは覚えろ

Net Book Value（簿価）＝ Cost（取得原価）－ Accumulated Depreciation
（減価償却累計額）

先ほどと同じ例を使って二倍定率法（DDB）の減価償却方法を具体的に見ていこう。

《1年目》

1年目期首（Beginning of Year）の資産（Assets）の簿価（Net Book Value）は、まだ減価償却（Depreciation）していないので、取得原価（Cost）＝$20,000と同じである〔期首（Beginning of Year）の時点では減価償却累計額（Accumulated Depreciation）は0である〕。
Depreciation Expense ＝ $20,000×50% ＝ $10,000 だから仕訳（Journal Entry）は次のようになる。

12/31 （Dr.）Depreciation Expense 10,000 / （Cr.）Accumulated Depreciation 10,000

そして、この時点での減価償却累計額（Accumulated Depreciation：AD）は$10,000であり、

簿価（Net Book Value）は$10,000＝（20,000－10,000）となる。
　　　　　　　　　　　　　　　　　　　　　C　　　　　AD

※C：Cost　　AD：Accumulated Depreciation

《2年目》

2年目期首（Beginning of Year）の資産（Assets）の簿価（Net Book Value）は、減価償却累計額（Accumulated Depreciation）が$10,000なので$10,000（20,000－10,000）である。Depreciation Expense＝$10,000×50%＝$5,000だから仕訳（Journal Entry）は次のようになる。

12/31 （Dr.）Depreciation Expense 5,000 /（Cr.）Accumulated Depreciation 5,000

このように1年目と比べて減価償却費（Depreciation Expense）の額は減少している。

そして、この時点での減価償却累計額（Accumulated Depreciation）は$15,000であり、

簿価（Net Book Value）は$5,000＝（20,000－15,000）となる。
　　　　　　　　　　　　　　　　　　C　　　　 AD

※C：Cost　　 AD：Accumulated Depreciation

《3年目》

3年目期首（Beginning of Year）の資産（Assets）の簿価（Net Book Value）は減価償却累計額（Accumulated Depreciation）が$15,000（10,000＋5,000）なので$5,000（20,000－15,000）である。ここで、1年目や2年目と同じように計算すると、Depreciation Expense ＝ $5,000 × 50% ＝ $2,500となり、減価償却（Depreciation）後の簿価（Net Book Value）は $5,000 － 2,500 ＝ $2,500となり、残存価額（Salvage Value：$4,000）を下回ってしまう。言い換えると、1年目や2年目と同じように計算すると減価償却累計額（Accumulated Depreciation）は$17,500となり、本来費用（Expenses）として配分される要償却額の$16,000（20,000 － 4,000）を超えてしまう。

そこで、このような場合は、**簿価（Net Book Value）**と**残存価額（Salvage Value）**の差額〔言い換えれば、要償却額とこれまでの減価償却累計額（Accumulated Depreciation）の差額〕を減価償却費（Depreciation Expense）として計上する。どのような方法を取ったとしても残存価額（Salvage Value : $4,000）は残さなければならない。

したがって当期の減価償却費（Depreciation Expense）は

Depreciation Expense = $5,000（Net Book Value）－$4,000（Salvage Value）
= $1,000

となり、仕訳（Journal Entry）は次のようになる。

12/31 (Dr.)Depreciation Expense 1,000 / (Cr.)Accumulated Depreciation 1,000

そして、この時点での減価償却累計額（Accumulated Depreciation）は$16,000であり、

簿価（**Net Book Value**）は$4,000＝(20,000－16,000)となる。
　　　　　　　　　　　　　　　　　　C　　　　AD

※C：Cost　　AD：Accumulated Depreciation

《4年目》

この例では3年間ですでに要償却額($16,000)の減価償却費（Depreciation Expense）を計上しているので、4年目は減価償却費（Depreciation Expense）は計上しない（ゼロ）。耐用年数（Useful Life）は4年であるが、3年間で減価償却（Depreciation）が終わるということになる。

ここまでをまとめれば次のようになる。

	Depreciation Expense（減価償却費）	Accumulated Depreciation（減価償却累計額）	Net Book Value（簿価）
1年目	$20,000 × 50% = $10,000	$10,000	$20,000 － $10,000 ＝$10,000
2年目	$10,000 × 50% = $ 5,000	$15,000	$20,000 － $15,000 ＝ $5,000
3年目	$5,000－$4,000 = $ 1,000	$16,000	$20,000 － $16,000 ＝ $4,000
4年目	0	$16,000	$4,000

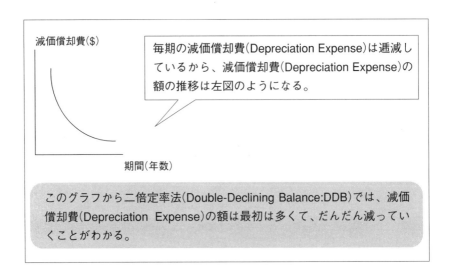

毎期の減価償却費(Depreciation Expense)は逓減しているから、減価償却費(Depreciation Expense)の額の推移は左図のようになる。

このグラフから二倍定率法(Double-Declining Balance：DDB)では、減価償却費(Depreciation Expense)の額は最初は多くて、だんだん減っていくことがわかる。

(3)級数法(Sum-of-the-Year's Digits：SYD)

級数法(Sum-of-the-Year's Digits：SYD)とは、固定資産(Noncurrent Assets)を使用する期間(耐用年数：Useful Life)にわたって、毎期一定の額で算術級数的に減少した減価償却費(Depreciation Expense)を計上する方法である。

具体的には、毎期の残存耐用年数(耐用年数－経過年数)の合計を分母(Denominator)としてその年の残存耐用年数を分子(Numerator)にして、この分数に要償却額〔取得原価(Cost)－残存価額(Salvage Value)〕を掛けて毎期の減価償却費(Depreciation Expense)を算出する方法である。

この方法も、二倍定率法(DDB)と同様に早期に減価償却費(Depreciation Expense)を多く計上する。

(1)、(2)と同じ例で考えると耐用年数(Useful Life)は4年なので、

1年目の残存耐用年数はその年も含めて4年、
2年目の残存耐用年数はその年も含めて3年、
3年目の残存耐用年数はその年も含めて2年、
4年目の残存耐用年数はその年も含めて1年となる。

　分母は毎期の残存耐用年数の合計なので4＋3＋2＋1＝10となる。（Sumは合計、Yearは年数なので、Sum-of-the-Yearsとは年数を足すという意味である）このように、足し算をしてもよいが、耐用年数（Useful Life）が20年、30年と長くなると、計算が煩雑である。

　そこで次のような公式を使えば楽に求められる。

分母（Denominator）は、$\dfrac{n(n+1)}{2}$、分子（Numerator）は、n－経過年数

となる。

n＝耐用年数（Useful Life）

上の例ではn＝4であるから分母（Denominator）は $\dfrac{4(4+1)}{2}=10$

分子（Numerator）は 1年目：4(4－0)

2年目：3(4－1)

3年目：2(4－2)

4年目：1(4－3)

となる。

分母：Denominator　分子：Numerator

暗記項目！これだけは覚えろ

級数法（Sum-of-the-Year's Digits）の毎期の減価償却費（Depreciation Expense）は、次の計算式で計算される。

$$\text{Depreciation Expense} = (\text{Cost} - \text{Salvage Value}) \times \frac{n - \text{経過年数}}{\frac{n(n+1)}{2}}$$

（減価償却費）　（取得原価）　（残存価額）

この例における減価償却費（Depreciation Expense）の計算は、

1年目：Depreciation Expense ＝（$20,000 － $4,000）× 4/10 ＝ $6,400
2年目：Depreciation Expense ＝（$20,000 － $4,000）× 3/10 ＝ $4,800
3年目：Depreciation Expense ＝（$20,000 － $4,000）× 2/10 ＝ $3,200
4年目：Depreciation Expense ＝（$20,000 － $4,000）× 1/10 ＝ $1,600

となる。

よって、減価償却費（Depreciation Expense）の仕訳（Journal Entry）は、次のようになる。

《1年目》

12/31（Dr.）Depreciation Expense　6,400　/（Cr.）Accumulated Depreciation　6,400

《2年目》

12/31（Dr.）Depreciation Expense　4,800　/（Cr.）Accumulated Depreciation　4,800

《3年目》

12/31（Dr.）Depreciation Expense　3,200　/（Cr.）Accumulated Depreciation　3,200

《4年目》

12/31（Dr.）Depreciation Expense　1,600　/（Cr.）Accumulated Depreciation　1,600

212

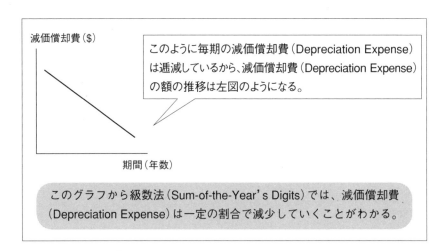

減価償却費（$）

このように毎期の減価償却費（Depreciation Expense）
は逓減しているから、減価償却費（Depreciation Expense）
の額の推移は左図のようになる。

期間（年数）

このグラフから級数法（Sum-of-the-Year's Digits）では、減価償却費
（Depreciation Expense）は一定の割合で減少していくことがわかる。

　このように、(1)の定額法（Straight-Line：SL）では減価償却費（Depreciation
Expense）の額は毎期一定だが、(2)の二倍定率法（Double Declining
Balance：DDB）や(3)の級数法（Sum-of-the-Year's Digits：SYD）では減価
償却費（Depreciation Expense）の額は逓減している。
　(2)、(3)のような減価償却（Depreciation）の方法を加速度償却法
（Accelerated Depreciation Method）という。

　貸借対照表（B/S）上に減価償却累計額（Accumulated Depreciation）が
どのような形式で計上されるのか、もう一度確かめておこう。

　　有形固定資産（Tangible Assets）を貸借対照表（B/S）に計上する場
　合、通常、Property, Plant, and Equipmentとする。

　このように減価償却累計額（Accumulated Depreciation）は資産（Assets）
［この場合は設備：Equipment］から控除する形式で計上されている。こ
うすれば、設備（Equipment）の取得原価（Cost）が＄2,800で、今までに
＄620を減価償却（Depreciation）して簿価（Net Book Value）が＄2,180であ
ることが一目でわかる。

214

《例》賃借対照表（B/S）における減価償却累計額

Anjo Corporation
Balance Sheet（貸借対照表）
December 31, 1998

Assets（資産）

Current Assets（流動資産）

Cash（現金）	$ 3,440
Accounts Receivable（売掛金）	4,340
Inventory（棚卸資産）	1,950
Total Current Assets（流動資産合計）	9,730

Property, Plant, and Equipment（有形固定資産）

Equipment（設備）	$ 2,800	
Less（減算）Accumulated Depreciation（減価償却累計額）	620	
Total Property, Plant, and Equipment（有形固定資産合計）		2,180

Total Assets（資産合計）	$ 11,910

Liabilities and Stockholders' Equity（負債及び資本）

Current Liabilities（流動負債）

Accounts Payable（買掛金）	$ 3,250
Salaries Payable（未払給料）	60
Income Taxes Payable（未払法人税）	920
Total Current Liabilities（流動負債合計）	4,230

Stockholders' Equity（資本）

Common Stock（資本金）	$ 4,500	
Retained Earnings（利益剰余金）	3,180	
Total Stockholders' Equity（資本合計）		7,680
Total Liabilities and Stockholders' Equity（負債及び資本合計）		$ 11,910

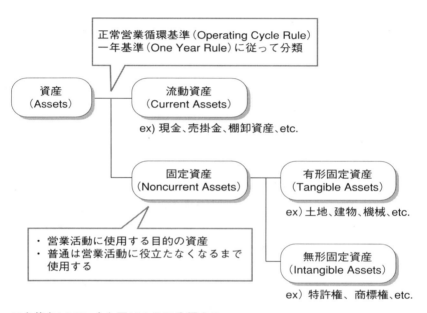

1. 資産(Assets)の分類

正常営業循環基準(Operating Cycle Rule)
一年基準(One Year Rule)に従って分類

資産
(Assets)

流動資産
(Current Assets)

ex) 現金、売掛金、棚卸資産、etc.

固定資産
(Noncurrent Assets)

有形固定資産
(Tangible Assets)

ex) 土地、建物、機械、etc.

・ 営業活動に使用する目的の資産
・ 普通は営業活動に役立たなくなるまで
  使用する

無形固定資産
(Intangible Assets)

ex) 特許権、商標権、etc.

※負債(Liabilities)も同じように分類する

貸借対照表(B/S)

流動資産 (Current Assets)	流動負債 (Current Liabilities)
	固定負債 (Noncurrent Liabilities)
固定資産 (Noncurrent Assets)	資本 (Stockholders' Equity)

２．減価償却（Depreciation）

　資産価値の減少分→費用（Expenses）として考える。
　その資産の取得原価（Cost）を、使用する期間（耐用年数：Useful Life）
に配分。

３．減価償却（Depreciation）の意味

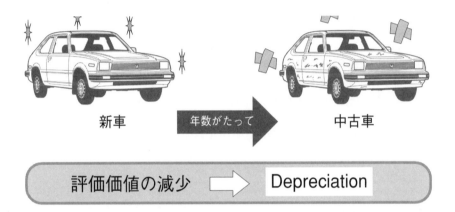

　　　　新車　　　年数がたって　　　中古車

評価価値の減少　⇨　Depreciation

仕訳（Journal Entry）

Debit（借方）	Credit（貸方）
Depreciation Expense ××× （減価償却費）	Accumulated Depreciation ××× （減価償却累計額）

4．減価償却を計算するうえで考慮する要件

①取得原価（Cost）―資産（Assets）を買い入れたときの値段。これには、その資産の代価だけではなく、それを取得するためにかかった付随費用（運賃、保険料など）も含む。

②耐用年数（Useful Life）―資産（Assets）が正常に使用できる年数。

③残存価額（Salvage Value）―使用期間（耐用年数：Useful Life）経過後、資産（Assets）を処分したときに得られる予想金額である。

5．減価償却の方法（Depreciation Methods）

（1）定額法（Straight-Line：SL）

資産（Assets）を使用する期間（耐用年数：Useful Life）にわたって、毎期均等額の減価償却費（Depreciation Expense）を計上する方法。

$$\text{Depreciation Expense} = \frac{\text{Cost} - \text{Salvage Value}}{\text{Useful Life}}$$

（2）二倍定率法（Double-Declining Balance：DDB）

加速度的な減価償却法の一種。
定額法（SL）の2倍の償却率で減価償却費（Depreciation Expense）を計上する方法。

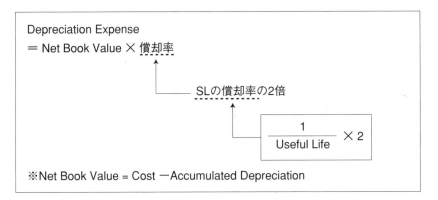

(3) 級数法(Sum-of-the-Year's Digits : SYD)

　加速度的な減価償却法の一種。

　使用する期間(耐用年数：Useful Life)にわたって、毎期一定の額で算術級数的に減少した減価償却費(Depreciation Expense)を計上する方法。

$$\text{Depreciation Expense} = (\text{Cost} - \text{Salvage Value}) \times \frac{n - 経過年数}{\dfrac{n\,(n+1)}{2}}$$

※ n：耐用年数(Useful Life)

●●●●●●●●●●●●●●　●●●●●●●

問題1

　カッコのなかに適当と思われる語句を入れなさい。〔　　　〕には日本語、＜　　　＞には英語が入ります。

資産（Assets）は、短期のものと長期のものに分類することができます。短期のものを流動資産、英語で＜①　　　＞といい、長期のものを固定資産、英語で＜②　　　＞といいます。
負債（Liabilities）も、資産（Assets）と同様、短期のものと長期のものに分類できます。短期のものを流動負債、英語で＜③　　　＞、長期のものを固定負債、英語で＜④　　　＞といいます。
流動（Current）に分類されるのか、固定（Noncurrent）に分類されるのかを判断する際、2つの基準を考慮します。1つ目は通常の〔⑤　　　〕に関する勘定科目かどうかということです。通常の〔⑤　　　〕に関する勘定科目はすべて流動（Current）に分類されます。通常の〔⑤　　　〕に関する勘定科目以外である場合、もう1つの基準で分類します。その基準とは保有期間に関するもので決算日の翌日から1年以内のものであれば、＜⑥　　　＞、1年を超えるものであれば、＜⑦　　　＞というものです。
例えば、借入期間が6カ月の借入金は＜⑧　　　＞Liabilitiesとなり、借入期間が3年の借入金は＜⑨　　　＞Liabilitiesとなります。けれども、1年半後にしか現金を回収できない売掛金は保有期間が1年を超えていますが、売掛金は通常の営業活動に関する勘定科目なので＜⑩　　　＞Assetsとなります。

貸借対照表(B/S)は以下のようにさらに細かく分類します。

```
                    Balance Sheet

                          │         <            >
                          │
        <        >        │
                          │─────────────────────────────
                          │
                          │         <            >
   ─────────────────      │
                          │
        <        >        │
                          │         Stockholder's Equity
```

問題2

カッコのなかに適当と思われる数字、語句を入れなさい。〔　　　〕には日本語または数字、＜　　　＞には英語が入ります。

　　固定資産(Noncurrent Assets)とは、〔①　　　〕に使用する目的で所有する資産で、通常は役に立たなくなるまで長期間にわたって使用します。

　　長期間にわたって使用できるので、会計処理としては、その資産の購入年度に費用として全額計上するのではなく、その資産の価値の減少分をその資産を使用してもたらされる収益に対応する費用と考え、使用される期間にわたって計上します。この手続きのことを〔②　　　〕、英語で＜③　　　＞といいます。

　　〔②　　　〕の計算方法には、さまざまな方法があります。代表的な計算方法として定額法＜④　　　＞、二倍定率法＜⑤　　＞、級数法＜⑥　　　＞があります。しかしながら、どの方法を使用しても仕訳は同じで借方に〔⑦　　　〕、貸方に減価償却累計

額という勘定科目がきます。英語でこの仕訳を表すと以下のよう
になります。

　＜⑧　　　　　　　＞×× ／ ＜⑨　　　　　　　＞××
　　　　　↑　　　　　　　　　　　　　　↑
　　　P/Lの項目　　　　　　　　　　B/Sの項目
この仕訳は年に一度〔⑩　　　　〕時に行われます。

　　例えば、ANJO株式会社は1998年1月1日に営業活動を行うため
に車を10,000ドルで購入しました。この車は5年間使用することが
でき、5年後の価値は1,000ドルです。

　　この場合、取得原価（Cost）が10,000ドルで残存価額（Salvage
Value）が〔⑪　　　〕ドル、耐用年数（Useful Life）が5年というこ
とですので、定額法（SL）で計算すれば、1998年12月31日の減価償
却費は〔⑫　　　〕ドルとなります。1998年12月31日の減価償却の仕
訳は以下のようになります。

　＜⑬　　　　＞〔⑮　　　　〕／ ＜⑭　　　　＞〔⑮　　　　〕
　　　↑　　　　　　　　　　　　　　↑
　　P/Lの項目　　　　　　　　　　B/Sの項目

　　貸方の減価償却累計額は、資産の価値を控除するという意味合
いを持つ評価勘定（Valuation Account）で貸借対照表（B/S）上では、
資産から〔⑯　　　〕するという形で表示されます。

Anjo Co. purchased a machine on January 1, 1998 at a cost of $ 10,000. The machine had a useful life of ten years and salvage value was estimated at $ 1,000. Anjo Co. depreciated the machine by the straight-line method. For the year ended December 31, 1998, what amount should Anjo report as depreciation expense?

a $ 4,000

b $ 3,000

c $ 1,800

d $ 900

【和訳】

Anjo社は、1998年1月1日に$10,000で機械を購入した。この機械の耐用年数は10年間、残存価額の見積は$1,000であった。Anjo社は、この機械を定額法で減価償却した。1998年度にAnjo社が計上すべき減価償却費はいくらか？

a $ 4,000

b $ 3,000

c $ 1,800

d $ 900

Anjo Co. purchased a machine on January 1, 1998 at a cost of $ 40,000. The machine had a useful life of four years and salvage value was estimated at $ 8,000. Anjo Co. depreciated the machine by the Double-Declining Balance.

(1) For the year ended December 31, 1998, what amount should Anjo report as Depreciation Expense?

  a $40,000 b $30,000 c $20,000 d $10,000

(2) For the year ended December 31, 2000, what amount should Anjo report as Depreciation Expense?

  a $10,000 b $5,000 c $2,000 d 0

(3) For the year ended December 31, 2001, what amount should Anjo report as Depreciation Expense?

  a $10,000 b $5,000 c $2,000 d 0

【和訳】

Anjo社は、1998年1月1日に$40,000で機械を購入した。この機械の耐用年数は4年間、残存価額の見積もりは$8,000であった。Anjo社は、この機械を二倍定率法で減価償却した。

(1) 1998年度にAnjo社が計上すべき減価償却費はいくらか？
  a $40,000 b $30,000 c $20,000 d $10,000

(2) 2000年度にAnjo社が計上すべき減価償却費はいくらか？
  a $10,000 b $5,000 c $2,000 d 0

(3) 2001年度にAnjo社が計上すべき減価償却費はいくらか？
  a $10,000 b $5,000 c $2,000 d 0

問題 5

Anjo Co. purchased a machine on January 1, 1998 at a cost of $10,000. The machine had a useful life of five years and salvage value was estimated at $1,000. Anjo Co. depreciated the machine by the Sum-of-the-Years' Digits. For the year ended December 31, 1998, what amount should Anjo report as Depreciation Expense?

　　　　a $4,000　b $3,000　c $2,000　d $1,800

【和訳】

Anjo社は、1998年1月1日に$10,000で機械を購入した。この機械の耐用年数は5年間、残存価額の見積は$1,000であった。Anjo社は、この機械を級数法で減価償却した。1998年度にAnjo社が計上すべき減価償却費はいくらか？

　　　　a $4,000　b $3,000　c $2,000　d $1,800

第4章　固定資産　**225**

The graph below depicts three depreciation expense patterns over time.

Depreciation
expense ($)

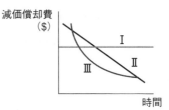

Time

Which depreciation expense pattern corresponds to the Straight-Line method and which corresponds to the double-declining balance method?

	Straight-Line Method	Double-Declining Balance Method
a	III	II
b	II	I
c	I	III
d	II	III

下図は3つの減価償却費のパターンを時系列で示している。

減価償却費
($)

時間

定額法及び
二倍定率法はどのパターンか。

	定額法	二倍定率法
a	III	II
b	II	I
c	I	III
d	II	III

Tea time 11

グローバルスタンダードとは

　グローバルスタンダードとは何もアメリカのマネをすることではない。ビジネスに国境がなくなった今、国際的に通用するビジネススタイルが必要であり、ビジネスの先進国であるアメリカで行われている制度をベースに、世界各国の企業同士が安心して取引できる土俵を作りましょうということなのだ。アメリカの企業がよくやるような大規模なリストラなどが必ずしも称賛されるものではない。日本企業は家族的な日本的経営のいい部分を残しながら、アメリカ式の効率的・合理的なビジネスの考え方を導入すべきだろう。

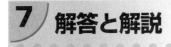

7 解答と解説

問題1　解答

①Current Assets　　　　　⑥Current
②Noncurrent Assets　　　　⑦Noncurrent
③Current Liabilities　　　　⑧Current
④Noncurrent Liabilities　　⑨Noncurrent
⑤営業活動　　　　　　　　⑩Current

貸借対照表（B/S）は以下のようにさらに細かく分類します。

Balance Sheet	
＜Current Assets＞	＜Current Liabilities＞
	＜Noncurrent Liabilities＞
＜Noncurrent Assets＞	Stockholders' Equity

①営業活動	⑨Accumulated Depreciation
②減価償却	⑩決算整理
③Depreciation	⑪1,000
④Straight-Line	⑫1,800
⑤Double-Declining Balance	⑬Depreciation Expense
⑥Sum-of-the-Year's Digits	⑭Accumulated Depreciation
⑦減価償却費	⑮1,800
⑧Depreciation Expense	⑯控除

定額法を用いて減価償却費を算出する場合の計算式

計算式

$$減価償却費（Depreciation\ Expense） = \frac{取得原価（Cost） - 残存価額（Salvage\ Value）}{耐用年数（Useful\ Life）}$$

この計算式にデータを当てはめて計算。

$$減価償却費 = \frac{10,000（取得原価） - 1,000（残存価額）}{5（耐用年数）} = 1,800$$

よって、1998年度の減価償却費は1,800ドルとなる。

額法を用いて減価償却費を算出する場合の計算式

計算式

$$減価償却費 (Depreciation Expense) = \frac{取得原価（Cost）- 残存価額（Salvage Value）}{耐用年数（Useful Life）}$$

の計算式にデータを当てはめて計算。

$$減価償却費 = \frac{10,000（取得原価）- 1,000（残存価額）}{10（耐用年数）}$$

よって、**d** $900 が正しい。

問題4　解答

定額法（Straight-Line）の償却率の計算式

計算式

$$定額法の償却率 = \frac{1}{耐用年数（Useful Life）} = \frac{1}{4} = 25\%$$

二倍定率法（Double-Declining Balance：DDB）の償却率の計算式

計算式

$$DDBの償却率 = 定額法の償却率 \times 2 = 25\% \times 2 = 50\%$$

二倍定率法（Double-Declining Balance:DDB）による減価償却費（Depreciation Expense）の計算式

計算式

$$減価償却費 = Net\ Book\ Value \times 償却率$$

	Depreciation Expense	Accumulated Depreciation	Net Book Value
1年目	40,000 × 50% = 20,000	20,000	40,000 － 20,000 = 20,000
2年目	20,000 × 50% = 10,000	30,000	40,000 － 30,000 = 10,000
3年目	32,000 － 30,000 = 2,000	32,000	40,000 － 32,000 ＝ 8,000

(1) c **20,000** が正しい。

(2) 3年目の資産のNet Book Valueは10,000である。ここでSalvage Value が8,000であるのに、1、2年目と同じように計算すると、

Depreciation Expense ＝ 10,000 × 50% ＝5,000
となり、償却後の簿価は
10,000 － 5,000 ＝ 5,000

となってSalvage Valueを下回ってしまう。言い換えると、Accumulated Depreciationは35,000となり、要償却額の32,000（40,000－8,000）を超えてしまう。そこでこのような場合は、要償却額（32,000）とこれまでのAccu-mulated Depreciation（30,000）の差額をDepreciation Expenseとして計上する。よって、c **2,000** が正しい。

(3) 3年間ですでに要償却額（32,000）のDepreciation Expenseを計上しているので、4年目はDepreciation Expenseを計上しない。よって、d **0** が正しい。

Tea time 12

人材も"時価"評価に

　国際会計基準（IAS）では企業は時価で評価されるが、その影響は企業で働くビジネスパーソンにも当然及んでくる。人材もまた現在の価値、つまり"時価"で評価される時代になってくるからだ。いままでは同期入社で学歴が同じなら努力してもしなくても、それほど収入に差がつくことはなかった。しかしこれからは、同じ年収からスタートしても、資格を取るなどして自分を高めた人はヘッドハンティングでより高収入を得ることができる。逆に努力しない人は不要な人材として、リストラされることになるだろう。

問題5　解答

級数法(Sum-of-the-Years' Digits)による減価償却費(Depreciation Expense)の計算式

計算式

$$減価償却費 = (Cost - Salvage\ Value) \times \frac{n - 経過年数}{\frac{n(n+1)}{2}}$$

n：Useful Life

分子　=　5

$$分母 = \frac{5(5+1)}{2} = 15$$

$$減価償却費 = (10,000 - 1,000) \times \frac{5}{15} = 3,000$$

よって**b** **\$3,000** が正しい。

問題6　解答

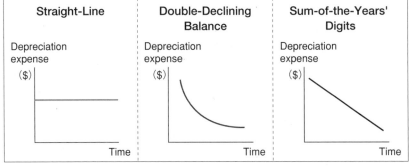

Straight-Line	Double-Declining Balance	Sum-of-the-Years' Digits
Depreciation expense (\$) ... Time	Depreciation expense (\$) ... Time	Depreciation expense (\$) ... Time

よって、**c** が正しい。

第 5 章

精算表の作成手順

Work Sheet Procedures

1 流動資産と流動負債
(Current Assets and Current Liabilities)

(1)流動資産(Current Assets)

重要Point! ここをチェック　流動資産(Current Assets)とは、短期間に現金化されると予想される資産(Assets)である。流動資産(Current Assets)の代表的なものには、現金(Cash)、売掛金(Accounts Receivable)、未収収益(Accrued Revenues)などがある。

①売掛金(Accounts Receivable)

売掛金(Accounts Receivable)とは、企業の主たる営業活動から生じる商品(Merchandise)などの掛(かけ)売上代金のうちの未収代金をいう。売掛金(Accounts Receivable)は貸借対照表(Balance Sheet：B/S)の資産(Assets)の項目である。

《例》

9月14日にAnjo株式会社は得意先に商品＄1,200を掛で販売(＝信用取引：on account)した。その際、仕訳帳(Journal)には次のように仕訳(Journal Entry)される。

9/14　　(Dr.) Accounts Receivable　　1,200 /　(Cr.) Sales　　1,200
　　　　　　　(売掛金)　　　　　　　　　　　　　　(売上)

売掛金(Accounts Receivable)は、現金(Cash)を受取る権利を表している。主たる営業活動が行われていくなかで、いずれ現金(Cash)に換えられる。このため売掛金(Accounts Receivable)は、流動資産(Current

Assets)として計上される。

　もし、得意先が11日後に支払うとすれば、現金（Cash）の受取り（Received）は次のように仕訳（Journal Entry）される。

| 9/25 | (Dr.) Cash | 1,200 / | (Cr.) Accounts Receivable | 1,200 |
| | （現金） | | （売掛金） | |

　売掛金（Accounts Receivable）は現金（Cash）を受取る権利なので、回収されれば取り消されることになる。売掛金（Accounts Receivable）を取消すには、貸方（Credit）に計上すればよい。

　売掛金（Accounts Receivable）は資産（Assets）項目なので、増加（Increase）すれば借方（Debit）、減少（Decrease）すれば貸方（Credit）となる。ここでは減少（Decrease）（取消し）なので、貸方（Credit）に計上することになる。

②未収収益（Accrued Revenues）

重要Point! ここをチェック　未収収益（Accrued Revenues）とは、一定の契約に従って、継続して役務の提供を行う場合に、すでに提供した役務に対して、いまだにその対価の支払いを受けていないものをいう。未収収益（Accrued Revenues）は、売掛金（Accounts Receivable）と同じように代金の請求権を示す。

　収益（Revenues）や費用（Expenses）は、現金（Cash）の収支にかかわらず、収益（Revenues）や費用（Expenses）が"発生"したときに計上する。

　例えば部屋を賃貸していて、98年1月1日から12月31日までの家賃（Rent）を99年3月1日に受取った（Received）とすると、家賃（Rent）による収益（Revenues）は99年に計上するのではなく、98年

分の収益(Revenues)として計上する。

　なぜなら、99年3月1日に受取った現金(Cash)は98年1月1日から12月31日まで部屋を貸していたことに対する対価だからである。このように収益(Revenues)は役務を提供した(この場合は「部屋を貸した」)年に認識する。こうした費用(Expenses)や収益(Revenues)が発生したときに計上することを発生主義(Accrual Basis)という。

　これに対して、現金(Cash)を支払ったときや受取ったときに費用(Expenses)や収益(Revenues)を計上することを現金主義(Cash Basis)という。

　期間損益計算を正確に行うためには、発生主義(Accrual Basis)による損益計算を行う必要がある。役務を提供している限り、収益(Revenues)が発生していると考えられるので、実際に代金を受取っていなくても収益(Revenues)を計上する。また同時に、現金(Cash)を受取る権利を表わす未収収益(Accrued Revenues)が、資産(Assets)として計上される。

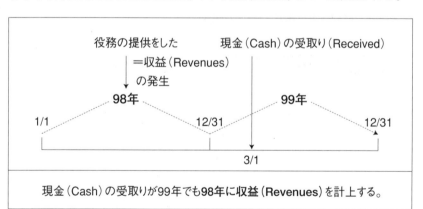

現金(Cash)の受取りが99年でも98年に収益(Revenues)を計上する。

暗記項目！ これだけは覚えろ

未収収益(Accrued Revenues)の具体的な勘定科目(Account)としては、未収家賃(Rent Receivable)、未収利息(Interest Receivable)などがある。

このように、発生しているがまだ現金を受取っていない、未収入の収益（Revenues）については、期中では何ら仕訳（Journal Entry）を行わないので、期末（End of Year）の決算整理（Adjustments）の際に収益（Revenues）を計上することになる。

《例》未収家賃（Rent Receivable）

> 98年12月1日に建物（Building）を貸し、その家賃（Rent）＄100は99年3月1日に受取った（Received）とする。

この例では、98年12月31日の時点で家賃（Rent）＄100は受取っていない。しかし、建物（Building）を貸している側からみれば、建物（Building）を貸した、つまり役務（サービス）の提供を行ったのが98年中であるため、たとえ家賃（Rent）を受取っていなくても収益（Revenues）を98年度の損益計算書（P/L）に計上する。

いつ現金（Cash）を受取るかということと、いつ収益（Revenues）を計上するのかということは別問題であり、発生主義（Accrual Basis）においては、収益（Revenues）は役務（サービス）の提供を行った年に計上する。

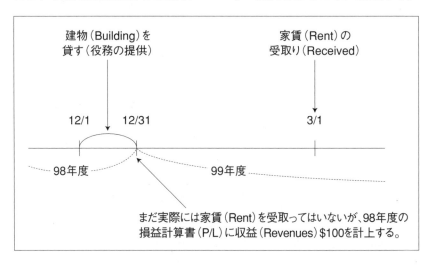

このように、発生しているがまだ現金を受取っていない未収入の収益（Revenues）は、期中では何ら仕訳（Journal Entry）を行わないので、期末（End of Year）の決算整理（Adjustments）の際に収益（Revenues）を計上することになる。その際、Rent Revenue（受取家賃）の相手勘定にはRent Receivable（未収家賃）という勘定科目（Account）を使う。

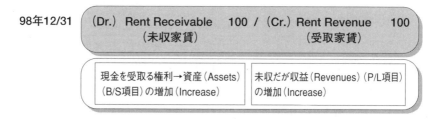

98年12/31 （Dr.） Rent Receivable　100 ／ （Cr.） Rent Revenue　100
　　　　　　　　　　（未収家賃）　　　　　　　　　　　（受取家賃）

現金を受取る権利→資産（Assets）（B/S項目）の増加（Increase）

未収だが収益（Revenues）（P/L項目）の増加（Increase）

そして次の会計期間（Accounting Period）に実際に現金（Cash）を受取った（Received）ときは、次のような仕訳（Journal Entry）をする。

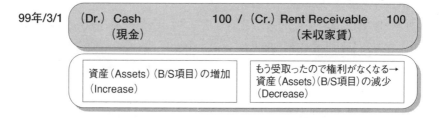

99年/3/1 （Dr.） Cash　　　　　　　100 ／ （Cr.） Rent Receivable　100
　　　　　　　　（現金）　　　　　　　　　　　　　　（未収家賃）

資産（Assets）（B/S項目）の増加（Increase）

もう受取ったので権利がなくなる→資産（Assets）（B/S項目）の減少（Decrease）

　仕訳（Journal Entry）にあるReceivableは売掛金（Accounts Receivable）のReceivableと同じ意味であるが、売掛金（Accounts Receivable）はあくまでも商品（Merchandise）に関するものである。98年12月31日の時点では建物（Building）を貸してはいるが、家賃（Rent）は受取っていない。しかし、家賃（Rent）を受取る権利は発生しているので、この場合も収益（Revenues）は計上することになる。

　そこで、貸方（Credit）に収益（Revenues）である受取家賃（Rent Revenue）を計上する。一方、借方（Debit）は、まだ受取っていないが、今後受取ることのできる金額を表すReceivableとなる。そしてこれは家賃（Rent）に関してのことなので、勘定科目（Account）は、未収家賃（Rent

Receivable)となる。

　翌年（99年3月1日）、家賃（Rent）を現金（Cash）で受取った（Received）ときには、家賃（Rent）を受取る権利を表す未収家賃（Rent Receivable）が必要なくなるので貸方（Credit）に未収家賃（Rent Receivable）を計上し、一方現金（Cash）が増加したので借方（Debit）に現金（Cash）を計上する仕訳（Journal Entry）がなされる。

※未収家賃（Rent Receivable）は貸借対照表（B/S）の流動資産（Current Assets）項目である。

※受取家賃（Rent Revenue）は損益計算書（P/L）の収益（Revenues）の項目である。

＜未収収益と売掛金の違い＞

（Accrued Revenues vs. Accounts Receivable：A/R）

未収収益 （Accrued Revenues）	売掛金 （Accounts Receivable）
商品販売以外で役務を提供したが現金（Cash）を受取っていない。	商品（Merchandise）を販売（Sales）したが現金（Cash）を受取っていない。

未収家賃、未収利息など
（Rent Receivable、Interest Receivable）

　売掛金（Accounts Receivable）は、商品（Merchandise）に関するReceivableだが、未収収益（Accrued Revenues）は商品以外のことに関するReceivableである。例えば、家賃（Rent）、利息（Interest）などに関して発生するReceivableを指す。これらは未収家賃（Rent Receivable）や未収利息（Interest Receivable）といった勘定科目（Account）を用いて表す。

（2）流動負債（Current Liabilities）

　流動負債（Current Liabilities）とは、短期間のうちに支払いをしなければならない負債（Liabilities）である。流動負債（Current Liabilities）の代表的なものには買掛金（Accounts Payable）、未払費用（Accrued Expenses）などがある。

①買掛金（Accounts Payable）

買掛金（Accounts Payable）とは、企業の主たる営業活動における仕入先との通常の取引（Transaction）によって生じる債務をいう。買掛金（Accounts Payable）は貸借対照表（Balance Sheet：B/S）の負債（Liabilities）の項目である。

《例》

10月8日にAnjo株式会社は仕入先から＄500の商品（Merchandise）を掛で購入（＝信用取引：on account）したとする。
仕訳帳（Journal）では次のように仕訳（Journal Entry）される。

10/8　　（Dr.）Purchases　　　500 /（Cr.）Accounts Payable　500
　　　　　　（仕入）　　　　　　　　　　　（買掛金）

買掛金（Accounts Payable）は、後日仕入代金を支払う義務があることを表している。
次に、もしAnjo株式会社が10日後に代金を支払ったとすると、現金（Cash）の支払い（Paid）は次のように仕訳（Journal Entry）される。

10/18　　（Dr.）Accounts Payable　500 /（Cr.）Cash　　　　　500
　　　　　　（買掛金）　　　　　　　　　　　（現金）

買掛金（Accounts Payable）は現金（Cash）を支払う義務なので、支払えば取り消すことになる。買掛金（Accounts Payable）を取り消すには、借方（Debit）に計上する。
買掛金（Accounts Payable）は負債（Liabilities）項目であり、増加（Increase）すると貸方（Credit）になり、減少（Decrease）すると借方（Debit）となる。ここでは減少（Decrease）（取消し）なので、借方（Debit）に計上する。

②未払費用（Accrued Expenses）

　　未払費用（Accrued Expenses）とは一定の契約に従って役務の提供を受ける場合、すでに提供を受けた役務に対して、まだ支払いをしていないものであり、支払い義務があるということを示す勘定科目（Account）である。つまり未払費用（Accrued Expenses）もまた、買掛金（Accounts Payable）と同様に代金の支払義務を示す。

　例えば、部屋を賃借していたとして、98年 1 月 1 日から12月31日までの家賃（Rent）を99年 3 月 1 日に支払った（Paid）とすると、家賃の費用は99年に計上するのではなく、98年の費用（Expenses）として計上する。なぜなら、99年 3 月 1 日に支払った現金（Cash）は、98年 1 月 1 日から12月31日まで部屋を借りていたことに対する対価だからである。このように費用（Expenses）は、役務の提供を受けた（この場合は部屋を借りた）年に発生する。

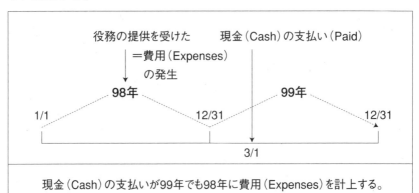

現金（Cash）の支払いが99年でも98年に費用（Expenses）を計上する。

未払費用（Accrued Expenses）の具体的な勘定科目（Account）としては、未払家賃（Rent Payable）や未払利息（Interest Payable）などがある。

このように、発生しているがまだ現金を支払っていない未支出の費用（Expenses）は、期中では何ら仕訳（Journal Entry）を行わないので、期末（End of Year）の決算整理（Adjustments）の際に費用（Expenses）を計上することになる。買掛金（Accounts Payable）は商品（Merchandise）を仕入れるごとに計上されるが、未払家賃（Rent Payable）のような未払費用（Accrued Expenses）は期末（＝12月31日）に計上される。

《例》未払家賃（Rent Payable）

98年12月1日に建物（Building）を借りた。その家賃（Rent）＄100は99年3月1日に支払った（Paid）とする。

未払家賃（Rent Payable）は未収家賃（Rent Receivable）の場合とは逆に、借りる側からみた場合、98年12月31日の時点で家賃（Rent）＄100は支払っていない。しかし、98年12月に建物（Building）を借りたということは98年中に役務（サービス）の提供を受けたということなので、たとえ家賃（Rent）を支払っていなくても費用（Expenses）として98年度の損益計算書（P/L）に計上する。そうすることによって適正な期間損益計算を行うことができるのである。

いつ現金（Cash）の支払いをするかということと、いつ費用（Expenses）を計上するかということは別問題であり、発生主義（Accrual Basis）では費用（Expenses）は役務（サービス）の提供を受けた年に計上する。

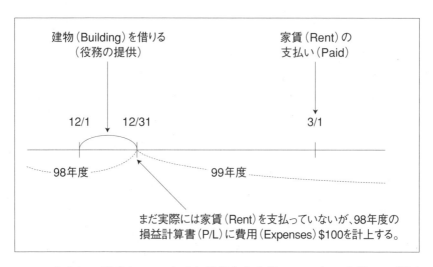

このように、発生しているがまだ現金を支払っていない未払いの費用
(Expenses)については、期中では何ら仕訳(Journal Entry)を行わないの
で、期末(End of Year)の決算整理(Adjustments)の際に費用(Expenses)
を計上する。支払家賃(Rent Expense)の相手勘定には未払家賃(Rent
Payable)という勘定科目(Account)を使う。

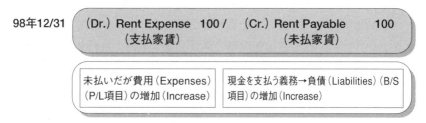

そして次の会計期間(Accounting Period)に実際に現金(Cash)を支払
った(Paid)ときは、次のような仕訳(Journal Entry)をする。

244

ここで仕訳(Journal Entry)にあるPayableは買掛金(Accounts Payable)のPayableと同じ意味であるが、買掛金(Accounts Payable)はあくまでも商品(Merchandise)に関するものである。98年12月31日の時点で建物(Building)は借りているが、家賃(Rent)は支払っていない。しかし、家賃(Rent)を支払う義務は発生しているので、この場合も費用(Expenses)は計上する。そこで借方(Debit)に費用(Expenses)である支払家賃(Rent Expense)を計上する。

　一方、貸方(Credit)はまだ支払っていないが、今後支払わなければならない金額を表すPayableとなる。これは家賃に関してのことなので、勘定科目(Account)は未払家賃(Rent Payable)となる。

　翌年(99年3月1日)、家賃(Rent)を現金(Cash)で支払った(Paid)ときには、家賃(Rent)を支払う義務を表す未払家賃(Rent Payable)の項目が必要なくなるので、借方(Debit)に未払家賃(Rent Payable)を計上し、一方現金(Cash)が減少(Decrease)したので貸方(Credit)に現金(Cash)を計上する仕訳(Journal Entry)がされる。

※未収家賃(Rent Receivable)は貸借対照表(B/S)の流動資産(Current Assets)項目である。

※受取家賃(Rent Revenue)は損益計算書(P/L)の収益(Revenues)の項目である。

＜未払費用と買掛金の違い＞

（Accrued Expenses vs. Accounts Payable：A/P）

未払費用 （Accrued Expenses）	買掛金 （Accounts Payable）
↓	↓
商品以外の役務の提供を受けたが現金（Cash）の支払いはまだである。	商品（Merchandise）の仕入（Purchases）をしたが現金（Cash）の支払いはまだである。

未払家賃、未払利息など
（Rent Payable、Interest Payable）

　買掛金（Accounts Payable）は、商品（Merchandise）の仕入（Purchases）に関するPayableだが、未払費用（Accrued Expenses）は、商品以外の役務（サービス）の支払いに関するPayableである。例えば家賃（Rent）や利息（Interest）などに関して発生するPayableを指す。これらは未払家賃（Rent Payable）や未払利息（Interest Payable）といった勘定科目（Account）を用いて表わす。

　未払費用（Accrued Expenses）の代表例としては、未払家賃（Rent Payable）のほかに未払給料（Salaries Payable）がある。例えば会社の給料日が25日で、12月分の給料を翌月1月25日に支払うという規定があれば、12月31日の段階では、まだ12月分の給料を支払っていないことになる。しかし、12月31日の段階ですでに会社は従業員による労働の提供を受けているので、会計上、給料をまだ支払っていなくても給料（Salaries

Expense）を計上しなければならない。

　このように、会計上でPayableが発生する理由は、費用（Expenses）を認識するタイミングと現金（Cash）を支払うタイミングの間にズレがあるからである。未払費用（Accrued Expenses）といっても、支払いが滞っていることを意味しているのではない。

《例》未払給料（Salaries Payable）

　ある会社の給料（Salaries Expense）の計算期間は各月の1日から31日までの1ヵ月で、その支払いが翌月の25日である。この会社の98年12月分の従業員の給料が＄150であったとする。

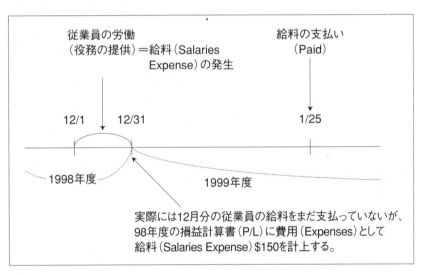

期末(End of Year)の仕訳(Journal Entry)は次のようになる。

98年12/31
(Dr.) Salaries Expense　　150 ／(Cr.) Salaries Payable 150
　　　(給料)　　　　　　　　　　　　　　　(未払給料)

費用(Expenses)-P/L項目の増加 | 負債(Liabilities)-B/S項目の増加

翌年1月25日に現金(Cash)で給料$150を支払った(Paid)ときの仕訳
(Journal Entry)は、以下の通りである。

99年1/25
(Dr.) Salaries Payable　　150 ／(Cr.)　Cash　　　　　　　150
　　　(未払給料)　　　　　　　　　　　　(現金)

負債(Liabilities)-B/S項目の減少 | 資産(Assets)-B/S項目の減少

2 決算整理(Adjustments)

　一年間の適正な期間損益を測定するためには、今期にのみ属する収益
(Revenues)と費用(Expenses)を計上しなければならない。つまり、実
際に現金(Cash)を支払った(Paid)か、受取った(Received)かにかかわら
ず、今期に計上すべき費用(Expenses)と収益(Revenues)を計算するの
である。

> このように適正な期間損益を計算するために年に一回、期末
> (End of Year)に行う処理を決算整理(Adjustments)という。

┌───┐
│ ▣ **暗記項目！これだけは覚えろ**
│
│ ┌──┐
│ │ **決算整理（Adjustments）の例**
│ │
│ │ ・未収収益（Accrued Revenues）の計上
│ │ ・未払費用（Accrued Expenses）の計上
│ │ ・減価償却費（Depreciation Expense）の計上
│ │ ・売上原価（Cost of Goods Sold）の計上など
│ └──┘
│
│ 決算整理（Adjustments）は精算表（Work Sheet）上で行われる。
└───┘

3 精算表（Work Sheet）

　期末（End of Year）において、財務諸表（Financial Statements：F/S）を作成しなければならない。この手続きを簡単にするために、精算表（Work Sheet）が作成される。

　精算表（Work Sheet）とはその名のとおり作業をする、つまり計算をするシートのことで、ここで決算整理（Adjustments）を行い、試算表（Trial Balance）から貸借対照表（Balance Sheet）と損益計算書（Income Statement）を作成する全過程を一覧する計算書である。そこで精算表（Work Sheet）は期末（End of Year）の処理をシステマティックに、かつ効率的に作業できるように形式化されている。昔は手書きだったが、今は通常コンピュータで処理をしている。

> 　精算表（Work Sheet）は、その表上で試算表（Trial Balance）の金額から決算整理（Adjustments）を行い、損益計算書（P/L）と貸借対照表（B/S）に記載する金額が計算できるような形になっている。

　具体的には縦の欄に勘定科目（Account）を記し、横の欄には左から修正前残高試算表（Unadjusted Trial Balance）、決算整理（Adjustments）、修

正後残高試算表(Adjusted Trial Balance)、損益計算書(Income Statement)、
貸借対照表(Balance Sheet)の順に並んでおり、それぞれ借方(Debit)、
貸方(Credit)の欄を設けてある。

Work Sheet（精算表）

Accounts （勘定科目）	Unadjusted Trial Balance （修正前残高試算表）		Adjustments （決算整理）		Adjusted Trial Balance （修正後残高試算表）		Income Statement （損益計算書）		Balance Sheet （貸借対照表）	
	Debit （借方）	Credit （貸方）	Debit （借方）	Credit （貸方）	Debit （借方）	Credit （貸方）	Debit （借方）	Credit （貸方）	Debit （借方）	Credit （貸方）
Cash	3,440				3,440				3,440	
Accounts Receivable	4,340				4,340				4,340	
Inventory Jan.1998	2,200				2,200		2,200			

試算表（Trial Balance）の金額をそのままこの欄に書きうつす。

この欄で決算整理（Adjustments）があれば行う。

決算整理（Adjustments）後の金額を表示する。

修正後の金額を損益計算書（P/L）項目と貸借対照表（B/S）項目に分類する。

4 精算表作成手順(Work Sheet Procedures)

精算表(Work Sheet)の作成手順は以下のようになる。

(1) その年の各種取引(Transactions)を借方(Debit)・貸方(Credit)に
　　仕訳(Journal Entry)し、元帳(Ledger)に転記(Posting)して、それ
　　ぞれを修正前残高試算表(Unadjusted Trial Balance)で合計する。

(2) 必要な決算整理(Adjustments)を精算表(Work Sheet)上で行う。

(3) 修正後残高試算表(Adjusted Trial Balance)欄に記入する。

(4) 修正後残高試算表(Adjusted Trial Balance)の勘定(Account)のうち、
　　収益(Revenues)、費用(Expenses)の金額を損益計算書(Income
　　Statement)欄に書きうつし、資産(Assets)、負債(Liabilities)、資
　　本(Stockholders' Equity)の勘定(Account)の金額を貸借対照表
　　(Balance Sheet)欄に書きうつす。

(1) 修正前残高試算表(Unadjusted Trial Balance)欄

重要Point! ここをチェック

精算表(Work Sheet)の修正前残高試算表(Unadjusted Trial Balance)
の欄に試算表(Trial Balance)の金額を記入する。

　勘定科目(Accounts)の欄の右隣にある修正前残高試算表(Unadjusted
Trial Balance)の欄に試算表(Trial Balance)の金額をそのまま書きうつす。
修正前(Unadjusted)とは、決算整理(Adjustments)を行う前の金額とい
う意味である。

財務諸表作成までの流れ

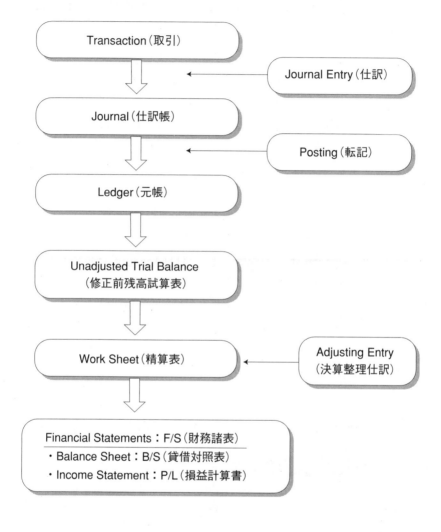

Transaction（取引）

Journal Entry（仕訳）

Journal（仕訳帳）

Posting（転記）

Ledger（元帳）

Unadjusted Trial Balance
（修正前残高試算表）

Work Sheet（精算表）

Adjusting Entry
（決算整理仕訳）

Financial Statements：F/S（財務諸表）
・Balance Sheet：B/S（貸借対照表）
・Income Statement：P/L（損益計算書）

試算表（Trial Balance）の各勘定科目（Account）の金額を借方（Debit）、貸方（Credit）にそのまま書きうつす。

勘定科目（Accounts）欄は試算表（Trial Balance:T/B）の勘定科目をこの分類順に並べる。

Work Sheet（精算表）

Accounts（勘定科目）	（修正前残高試算表）Unadjusted T/B		
	Debit（借方）	Credit（貸方）	
Current Assets（流動資産）			
Noncurrent Assets（固定資産）			
Current Liabilities（流動負債）			
Noncurrent Liabilities（固定負債）			
Stockholders' Equity（資本）			
Revenues（収益）			
Expenses（費用）			

重要Point! ここをチェック　勘定科目（Account）は貸借対照表（B/S）項目から、資産（Assets）、負債（Liabilities）、資本（Stockholders' Equity）の順に並べる。そして、貸借対照表（B/S）項目の次に損益計算書（P/L）項目を収益（Revenues）、費用（Expenses）の順で並べる。

(2) 決算整理（Adjustments）欄

重要Point! ここをチェック　決算整理（Adjustments）欄では決算整理仕訳（Adjusting Entry）を行い、その金額を記入する。すでに勘定科目（Account）が修正前残高試算表（Unadjusted Trial Balance）で使われている科目についてはその右横に仕訳の金額を借方（Debit）、貸方（Credit）のとおりに記入する。
修正前残高試算表（Unadjusted Trial Balance）に勘定科目（Account）がない科目については勘定科目（Accounts）欄にその科目を新たに設け、仕訳の金額を借方（Debit）、貸方（Credit）のとおりに記入する。

例えば、98年12月31日に未払の給料が＄60あったとする。99年に支払ったとしても、これは98年の費用（Expenses）なので決算整理（Adjustments）

98年12/31 (Dr.) Salaries Expense（給料） 60 / (Cr.) Salaries Payable（未払給料） 60

精算表（Work Sheet）上には次のように表される。

印（a）をつけることによって、どの勘定科目（Account）と対応しているのかわかる。

Work Sheet（精算表）

勘定科目 Accounts	修正前残高試算表 Unadjusted T/B		決算整理 Adjustments		
	Debit	Credit	Debit	Credit	
Salaries Expense	990		(a) 60		
Salaries Payable				(a) 60	

決算整理仕訳（Adjusting Entry）は決算整理（Adjustments）欄の各勘定科目（Account）の横にそれぞれの金額を書きうつす。
〔(Dr.) Salaries Expense 60 / (Cr.) Salaries Payable 60 の仕訳を表している〕

の際に、以下のように決算整理仕訳（Adjusting Entry）をする。

　この場合、借方（Debit）に給料（Salaries Expense）、貸方（Credit）に未払給料（Salaries Payable）が計上されるので、まず給料（Salaries Expense）という勘定科目（Account）の決算整理（Adjustments）欄の借方（Debit）に

60と記入する。次に、未払給料（Salaries Payable）の決算整理（Adjustments）欄の貸方（Credit）に60と記入する。

なお、未払給料（Salaries Payable）という勘定科目（Account）は決算整理（Adjustments）において初めて現われる。したがって、精算表（Work Sheet）には未払給料（Salaries Payable）の科目はまだ存在しない。そこで新たに未払給料（Salaries Payable）の科目を設け、その決算整理（Adjustments）欄の貸方（Credit）に60と記入する。また、決算整理（Adjustments）欄にどの勘定科目（Account）と対応するのかわかりやすくするために、例えば(a)のような印をつけておく。

(3) 修正後残高試算表（Adjusted Trial Balance）欄

決算整理（Adjustments）欄の右横が修正後残高試算表（Adjusted Trial Balance）欄である。決算整理（Adjustments）後の金額をこの欄に表示する。修正前残高試算表 （Unadjusted Trial Balance）欄の金額に、決算整理（Adjustments）欄の金額を加えるか、または引いて、修正後残高試算表（Adjusted Trial Balance）の金額を計算する。

Work Sheet（精算表）

勘定科目 Accounts	修正前残高試算表 Unadjusted T/B		決算整理 Adjustments		修正後残高試算表 Adjusted T/B		
	Debit	Credit	Debit	Credit	Debit	Credit	
Salaries Expense	990		(a) 60		1,050		
Salaries Payable				(a) 60		60	

修正前残高試算表（Unadjusted Trial Balance）欄も決算整理（Adjustments）欄も同じ側（借方：Debit）に金額があるので加算する。

Salaries Expense
990＋60＝1,050

Salaries Payable
0 + 60 = 60

修正前残高試算表（Unadjusted Trial Balance）欄の金額と決算整理（Adjustments）欄の金額が、借方（Debit）または貸方（Credit）の同じ側にあれば、両者を加算した金額を修正後残高試算表（Adjusted Trial Balance）欄に記入する。

　もし、修正前残高試算表（Unadjusted Trial Balance）欄の金額と決算整理（Adjustments）欄の金額が借方（Debit）または貸方（Credit）の異なった側にあれば、修正前残高試算表（Unadjusted Trial Balance）欄の金額から決算整理（Adjustments）欄の金額を差し引いた残高を修正後残高試算表（Adjusted Trial Balance）欄のその残高のある側に記入する。

　例えば、前ページの例で決算整理（Adjustments）の欄でSalaries ExpenseがDebit 60でなくCredit 70であった場合には、修正後残高試算表（Adjusted T/B）の残高は990－70＝920となる。

　また、決算整理（Adjustments）のない勘定科目（Account）の場合は、修正前残高試算表（Unadjusted Trial Balance）の金額をそのまま修正後残高試算表（Adjusting Trial Balance）欄にうつせばよい。

　このように精算表（Work Sheet）を活用して決算整理仕訳（Adjusting Entry）を作成すると、一つの表の上で決算手続きが行われるので、決算手順とその結果が一目瞭然となる。

＝例題（Example）＝

1. 次の取引（Transactions）を仕訳帳（Journal）に記帳する。

Transactions:

December 3.	Bought for cash merchandise $1,150
December 5.	Bought on account merchandise $600
December 8.	Bought on account merchandise $350
December 11.	Sold for cash merchandise $1,400
December 14.	Sold for cash merchandise $600
December 16.	Sold for cash merchandise $750
December 18.	Sold for cash merchandise $950
December 19.	Paid rent for the month $120
December 20.	Bought for cash merchandise $2,800
December 21.	Sold merchandise on account $450
December 22.	Sold merchandise on account $1,150
December 23.	Sold merchandise on account $600
December 24.	Sold merchandise on account $350
December 26.	Received cash on account $100
December 27.	Received cash on account $350
December 28.	Paid salary $140
December 30.	Paid insurance $150

取引：

December 3	商品$1,150を現金で購入した。
December 5	商品$600を掛で購入した。
December 8	商品$350を掛で購入した。
December11	商品$1,400を現金で販売した。
December14	商品$600を現金で販売した。
December16	商品$750を現金で販売した。
December18	商品$950を現金で販売した。
December19	当月の家賃$120を支払った。
December20	商品$2,800を現金で購入した。
December21	商品$450を掛で販売した。
December22	商品$1,150を掛で販売した。
December23	商品$600を掛で販売した。
December24	商品$350を掛で販売した。
December26	売掛金$100を現金で回収した。
December27	売掛金$350を現金で回収した。
December28	給料$140を支払った。
December30	保険料$150を支払った。

Journal

	Debit		Credit	
12/3	Purchases	1,150	Cash	1,150
12/5	Purchases	600	Accounts Payable	600
12/8	Purchases	350	Accounts Payable	350
12/11	Cash	1,400	Sales	1,400
12/14	Cash	600	Sales	600
12/16	Cash	750	Sales	750
12/18	Cash	950	Sales	950
12/19	Rent Expense	120	Cash	120
12/20	Purchases	2,800	Cash	2,800
12/21	Accounts Receivable	450	Sales	450
12/22	Accounts Receivable	1,150	Sales	1,150
12/23	Accounts Receivable	600	Sales	600
12/24	Accounts Receivable	350	Sales	350
12/26	Cash	100	Accounts Receivable	100
12/27	Cash	350	Accounts Receivable	350
12/28	Salaries Expense	140	Cash	140
12/30	Insurance Expense	150	Cash	150

仕訳帳

	借方		貸方	
12/3	仕入	1,150	現金	1,150
12/5	仕入	600	買掛金	600
12/8	仕入	350	買掛金	350
12/11	現金	1,400	売上	1,400
12/14	現金	600	売上	600
12/16	現金	750	売上	750
12/18	現金	950	売上	950
12/19	支払家賃	120	現金	120
12/20	仕入	2,800	現金	2,800
12/21	売掛金	450	売上	450
12/22	売掛金	1,150	売上	1,150
12/23	売掛金	600	売上	600
12/24	売掛金	350	売上	350
12/26	現金	100	売掛金	100
12/27	現金	350	売掛金	350
12/28	給料	140	現金	140
12/30	支払保険料	150	現金	150

2. 仕訳帳（Journal）から元帳（Ledger）に転記（Posting）する。

Cash（現金）

Dec.1	3,650	Dec. 3	1,150
Dec.11	1,400	Dec.19	120
Dec.14	600	Dec.20	2,800
Dec.16	750	Dec.28	140
Dec.18	950	Dec.30	150
Dec.26	100		
Dec.27	350		
Dec.31	3,440		

Accounts Receivable（売掛金）

Dec. 1	2,240	Dec.26	100
Dec.21	450	Dec.27	350
Dec.22	1,150		
Dec.23	600		
Dec.24	350		
Dec.31	4,340		

Accounts Payable（買掛金）

		Dec.1	2,300
		Dec. 5	600
		Dec. 8	350
		Dec.31	3,250

Sales（売上）

		Dec.1	8,700
		Dec.11	1,400
		Dec.14	600
		Dec.16	750
		Dec.18	950
		Dec.21	450
		Dec.22	1,150
		Dec.23	600
		Dec.24	350
		Dec.31	14,950

Purchases（仕入）

Dec.1	3,850
Dec.3	1,150
Dec.5	600
Dec.8	350
Dec.20	2,800
Dec.31	8,750

Rent Expense（支払家賃）

Dec. 1	1,320
Dec.19	120
Dec.31	1,440

Salaries Expense（給料）

Dec. 1	850
Dec.28	140
Dec.31	990

Insurance Expense（支払保険料）

Dec. 1	700
Dec.30	150
Dec.31	850

Dec.1（12月1日）における残高が下記のとおりであったとする。

Cash（現金）	3,650
Accounts Receivable（売掛金）	2,240
Accounts Payable（買掛金）	2,300
Sales（売上）	8,700
Purchases（仕入）	3,850
Rent Expense（支払家賃）	1,320
Salaries Expense（給料）	850
Insurance Expense（支払保険料）	700

3. 試算表（Trial Balance）を作成する。（1998年12月31日付）

Trial Balance（試算表）
December 31,1998

	（借方） Debit	（貸方） Credit
Cash（現金）	3,440	
Accounts Receivable（売掛金）	4,340	
Inventory Jan 1,1998（期首棚卸資産）	2,200	
Equipment（設備）	2,800	
Accumulated Depreciation（減価償却累計額）		310
Accounts Payable（買掛金）		3,250
Common Stock（資本金）		4,500
Retained Earnings（利益剰余金）		1,800
Sales（売上）		14,950
Purchases（仕入）	8,750	
Rent Expense（支払家賃）	1,440	
Salaries Expense（給料）	990	
Insurance Expense（支払保険料）	850	
Total（合計）	24,810	24,810

他の勘定（Account）の残高は次のとおりであったとする。

Inventory Jan.1, 1998（期首棚卸資産） : 2,200	Accumulated Depreciation（減価償却累計額）: 310
Equipment（設備） : 2,800	Common Stock（資本金） : 4,500
	Retained Earnings（利益剰余金） : 1,800

　この後、決算整理（Adjustments）において、次の決算整理仕訳（Adjusting Entry）を行う。

(a) 未払給料 $ 60の計上

> (Dr.) Salaries Expense　　　60　　/(Cr.) Salaries Payable　　　60
> 　　　（給料）　　　　　　　　　　　　　　　　（未払給料）

(b) 減価償却費 $ 310の計上

> (Dr.) Depreciation Expense　310　　/(Cr.) Accumulated Depreciation　310
> 　　　（減価償却費）　　　　　　　　　　　　　（減価償却累計額）

　精算表（Work Sheet）のAdjustments（決算整理）の欄には次のページのように記入される。

Work Sheet（精算表）

（勘定科目） Accounts	（修正前残高試算表） Unadjusted Trial Balance		（決算整理） Adjustments		（修正後残高試算表） Adjusted Trial Balance		（損益計算書） Income Statement		（貸借対照表） Balance Sheet	
	（借方） Debit	（貸方） Credit	（借方） Debit	（貸方） Credit	（借方） Debit	（貸方） Credit	（借方） Debit	（貸方） Credit	（借方） Debit	（貸方） Credit
1.Cash	3,440				3,440				3,440	
2.Accounts Receivable	4,340				4,340				4,340	
3.Inventory Jan. 1,1998	2,200				2,200		*2,200			
4.Equipment	2,800				2,800				2,800	
5.Accumulated Depreciation		310 (b)		310		620				620
6.Accounts Payable		3,250				3,250				3,250
7.Common Stock		4,500				4,500				4,500
8.Retained Earnings		1,800				1,800				1,800
9.Sales		14,950				14,950		14,950		
10.Purchases	8,750				8,750		*8,750			
11.Rent Expense	1,440				1,440		1,440			
12.Salaries Expense	990		(a) 60		1,050		1,050			
13.Insurance Expense	850				850		850			
Total	24,810	24,810								
14.Depreciation Expense			(b) 310		310		310			
15.Salaries Payable				(a) 60		60				60
Total			370	370	25,180	25,180				
16.Inventory Dec. 31, 1998							*1,950	◎1,950		
Total							14,600	16,900	12,530	10,230
Net Income							2,300			2,300
Total							16,900	16,900	12,530	12,530

修正前残高試算表、決算整理、修正後残高試算表の貸借は必ず一致する。

この差額が Net Income　この差額が Net Income

一致する　$2,300

期中では現われない勘定科目（Account）で、決算整理（Adjustments）で初めて出てくるため新しく勘定科目（Account）を設け、別欄記入する。

Work Sheet(精算表)の中の＊印、◎印の項目については、後で詳しく説明する。

(注) Net Incomeは本来税引後の利益を示すが、ここでは説明の便宜上、税金(Tax)の計算はしていない。

1.Cash(現金)：**貸借対照表(B/S)の借方(Debit)側の項目**

2.Accounts Receivable(売掛金)：**貸借対照表(B/S)の借方(Debit)側の項目**

3.Beginning Inventory Jan. 1, 1998(期首棚卸資産)：売上原価の計算のために**損益計算書(P/L)の借方(Debit)側に計上**

4.Equipment(設備)：**貸借対照表(B/S)の借方(Debit)側の項目**

5.Accumulated Depreciation(減価償却累計額)：**貸借対照表(B/S)の貸方(Credit)側の項目**

6.Accounts Payable(買掛金)：**貸借対照表(B/S)の貸方(Credit)側の項目**

7.Common Stock(資本金)：**貸借対照表(B/S)の貸方(Credit)側の項目**

8.Retained Earnings(利益剰余金)：**貸借対照表(B/S)の貸方(Credit)側の項目**

9.Sales(売上)：**損益計算書(P/L)の貸方(Credit)側の項目**

10.Purchases(仕入)：**損益計算書(P/L)の借方(Debit)側の項目**

11.Rent Expense(支払家賃)：**損益計算書(P/L)の借方(Debit)側の項目**

12.Salaries Expense(給料)：**損益計算書(P/L)の借方(Debit)側の項目**

13.Insurance Expense(支払保険料)：**損益計算書(P/L)の借方(Debit)側の項目**

14.Depreciation Expense(減価償却費)：**損益計算書(P/L)の借方(Debit)側の項目**

15.Salaries Payable(未払給料)：**貸借対照表(B/S)の貸方(Credit)側の項目**

16.Ending Inventory Dec. 31,1998：**貸借対照表(B/S)の借方(Debit)側の項目(期末棚卸資産)**
：損益計算書(P/L)では売上原価計算のために貸方(Credit)側に計上

(4)損益計算書(Income Statement : P/L)及び貸借対照表 (Balance Sheet : B/S)欄

重要Point! ここをチェック 　損益計算書(Income Statement)は精算表(Work Sheet)上の損益計算書(Income Statement)欄から、貸借対照表(Balance Sheet)は精算表(Work Sheet)上の貸借対照表 (Balance Sheet)欄からそれぞれ作成される。そのために修正後残高試算表(Adjusted Trial Balance)上の金額のうち、損益計算書(P/L)に属するものは損益計算書(P/L)に、貸借対照表(B/S)に属するものは貸借対照表(B/S)に振り分ける必要がある。このとき借方(Debit)側と、貸方(Credit)側を間違わないように注意しよう。

①棚卸資産(Inventory)の記入

　損益計算書(Income Statement)欄へ金額をうつす際、注意すべきことは、資産(Assets)である期首棚卸資産(Inventory Jan. 1, 1998)と期末棚卸資産(Inventory Dec. 31, 1998)の金額も記入するということである。

重要Point! ここをチェック 　損益計算書(P/L)欄で、資産 (Assets)であるはずの期首棚卸資産(Inventory Jan.1,1998)と、期末棚卸資産(Inventory Dec. 31,1998)の科目に金額が記載されているのは、精算表(Work Sheet)上で売上原価(Cost of Goods Sold)を計算するためである。つまり、期首棚卸資産(Inventory Jan.1,1998)、仕入(Purchases)、期末棚卸資産(Inventory Dec.31,1998)の３つの数字を使って、精算表(Work Sheet)上で売上原価(Cost of Goods Sold)の計算が行われる。これは棚卸資産(Inventory)のボックスの考え方と同じである。

　期首棚卸資産(Inventory Jan.1,1998)と仕入(Purchases)が借方 (Debit)側に記入され、期末棚卸資産(Inventory Dec. 31,1998)が貸

264

方（Credit）側に記入されるから、結果として、売上原価＝期首棚卸
資産＋仕入－期末棚卸資産という計算をしている。

棚卸資産
（Inventory）の
ボックス

Beginning Inventory （期首棚卸資産） $2,200	Cost of Goods Sold （売上原価） ？
Purchases （仕入） $8,750	Ending Inventory （期末棚卸資産） $1,950

差額（Plug）
で計算

Cost of Goods Sold＝Beginning Inventory＋Purchases－Ending Inventory
　（売上原価）　　　　（期首棚卸資産）　　　（仕入）　　　（期末棚卸資産）
　　　　　　　＝$2,200＋$8,750－$1,950
　　　　　　　＝$9,000

※棚卸資産（Inventory）の処理方法や、売上原価（Cost of Goods Sold）
の精算表（Work Sheet）上での計算方法はこのほかにもあるが、い
ままで説明してきた考え方は棚卸資産（Inventory）のボックスの考
え方に基づいているので、この本ではこの考え方で説明していく。

　貸借対照表（Balance Sheet：B/S）欄に棚卸資産（Inventory）が期末棚卸
資産（Inventory Dec. 31, 1998）の金額しか記載されていないのは、貸借対
照表（B/S）が一定時点（1998年12月31日）の残高を示すものだからである。
注意すべき点は、棚卸資産（Inventory Dec. 31, 1998）は、損益計算書
（Income Statement：P/L）欄では貸方（Credit）側に記入したが、これは売
上原価（Cost of Goods Sold：CGS）の計算のためだからであり、貸借対照

表（Balance Sheet：B/S）欄では借方（Debit）側に記入されることである。

期末棚卸資産（Inventory Dec. 31, 1998）は、損益計算書（Income Statement：P/L）欄では、貸方（Credit）、貸借対照表（Balance Sheet：B/S）欄では借方（Debit）に記入することに注意しなければならない。

Work Sheet（精算表）

Accounts（勘定科目）	⋯⋯⋯⋯⋯		Income Statement（損益計算書）		Balance Sheet（貸借対照表）	
	⋯⋯⋯⋯⋯		Debit（借方）	Credit（貸方）	Debit（借方）	Credit（貸方）
⋮						
Inventory Jan.1.1998			2,200 ←			
⋮						
Purchases			8,750			
⋮						
Inventory Dec.31.1998				1,950 ↑	1,950 ↑	
⋮						

売上原価（Cost of Goods Sold：CGS）を計算するために借方（Debit）に記入。なお、期首棚卸資産（Beginning Inventory）は貸借対照表欄（B/S）には記入されないことに注意。

売上原価（Cost of Goods Sold：CGS）を計算するために貸方（Credit）に記入。

棚卸資産（Inventory）は借方残高なので借方（Debit）に記入。

②損益計算書（Income Statement：P/L）と貸借対照表

（Balance Sheet：B/S）欄の記入法

損益計算書（Income Statement：P/L）欄と貸借対照表（Balance Sheet：B/S）欄では、借方（Debit）と貸方（Credit）のそれぞれについて、縦に合計する。

●損益計算書 (Income Statement) 欄
・借方 (Debit) …$14,600
・貸方 (Credit) …$16,900

● 貸借対照表 (Balance Sheet) 欄
・ 借方 (Debit) …$12,530
・ 貸方 (Credit) …$10,230

重要Point! ここをチェック　借方 (Debit) と貸方 (Credit) の差額 (Plug) $2,300は、損益計算書 (Income Statement:P/L) 欄と貸借対照表 (Balance Sheet : B/S) 欄の合計金額の小さい方の欄に書き込み、勘定科目 (Accounts) 欄の当期純利益 (Net Income) の項目に記入する。この借方 (Debit) の合計額と貸方 (Credit) の合計額の差額 (Plug) が、当期純利益 (Net Income) または当期純損失 (Net Loss) である。

　表の最終行には総合計の、16,900、16,900、12,530、12,530を記入する。最終的に損益計算書 (Income Statement : P/L) 欄の借方 (Debit) と貸方 (Credit) の差額と、貸借対照表 (Balance Sheet : B/S) 欄の借方 (Debit) と貸方 (Credit) の差額は一致しなければならない。そしてこの差額が当期純利益 (Net Income) または当期純損失 (Net Loss) となる。もし、一致しなければどこかで計算が間違っているということである。

Work Sheet (精算表)

Accounts (勘定科目)	…………	Income Statement (損益計算書)		Balance Sheet (貸借対照表)	
	…………	Debit (借方)	Credit (貸方)	Debit (借方)	Credit (貸方)
⋮	⋮	⋮	⋮		
Total		14,600	16,900	12,530	10,230
Net Income		2,300			2,300
Total		16,900	16,900	12,530	12,530

一致する

精算表(Work Sheet)を見ると、損益計算書(Income Statement : P/L)欄と貸借対照表(Balance Sheet : B/S)欄の両方に当期純利益(Net Income)が記載されている。つまり損益計算書(Income Statement : P/L)と貸借対照表(Balance Sheet : B/S)はともに当期純利益(Net Income) $2,300を計算しているのである。この数字の一致により損益計算書(P/L)と貸借対照表(B/S)の2つの財務諸表(F/S)が連携していることがわかるだろう。

　そしてもし損益計算書(Income Statement : P/L)欄で貸方(Credit)側に差額が出たならば、貸借対照表(Balance Sheet : B/S)欄では借方(Debit)側に同じ金額の差額が出るはずである。この場合は当期純利益(Net Income)ではなく、当期純損失(Net Loss)となる。

　さらに、この精算表(Work Sheet)上に作成された損益計算書(Income Statement : P/L)欄と貸借対照表(Balance Sheet : B/S)欄の数字をベースにして、次のページ以降のような損益計算書(Income Statement : P/L)と貸借対照表(Balance Sheet : B/S)が作成される。

(5)損益計算書(Income Statement : P/L)

損益計算書について、具体的な例をあげて解説していくことにしよう。

Anjo Corporation
Income Statement(損益計算書)
For the Year Ended December 31,1998

Sales(売上高)		$14,950
Cost of Goods Sold(売上原価)		
Inventory, Jan. 1, 1998(期首棚卸資産)	$2,200	
Purchases(仕入)	8,750	
Cost of Goods Available for Sale(販売可能な商品の原価)	10,950	
Less: Inventory, Dec. 31, 1998(期末棚卸資産)	1,950	
Cost of Goods Sold(売上原価)		9,000
Gross Margin(売上総利益)		5,950
Selling Expenses(販売費)		
Salaries Expense(給料)	$525 (*1)	
Rent Expense(支払家賃)	720 (*1)	
Total Selling Expenses(販売費合計)	1,245	
Administrative Expenses(一般管理費)		
Salaries Expense(給料)	525 (*1)	
Rent Expense(支払家賃)	720 (*1)	
Depreciation Expense(減価償却費)	310	
Insurance Expense(支払保険料)	850	
Total Administrative Expenses(一般管理費合計)	2,405	
Total Selling and Administrative Expenses(販売費及び一般管理費合計) 3,650		
Income before Income Taxes(税引前当期純利益)		2,300 (*2)
Income Taxes(法人税)		920 (*3)
Net Income(当期純利益)		$1,380 (*4)

(*1)給料(Salaries Expense)は精算表(Work Sheet)上では$1,050であるが、上記の損益計算書(P/L)では販売費(Selling Expenses)と一般管理費(Administrative Expenses)に$525ずつ分けて記載されている。同じように支払家賃(Rent Expense)も$720ずつ分けて記載されている(これについて、詳しくは後述する)。

(*2)精算表の当期純利益(Net Income)と一致している(税率を40%とした場合)。

(*3)法人税(Income Taxes)について、詳しくは後述する。

(*4)当期純利益(Net Income)は税引後の利益である。

①損益計算書(Income Statement：P/L)の区分

損益計算書(Income Statement)は、企業の経営成績(Operating Results)を明瞭に表示するため、次のような区分を設けて作成する。

重要Point! ここをチェック

- ●売上高（Sales）から売上原価（Cost of Goods Sold）を差し引いて、売上総利益（Gross Margin）を計算する。

- ●販売費（Selling Expenses）と一般管理費（Administrative Expenses）に区分して、費用（Expenses）を記載する。

- ●税引前当期純利益（Income before Income Taxes）から、法人税（Income Taxes）を控除して、当期純利益（Net Income）を計算する。

②営業費用（Operating Expenses）

重要Point! ここをチェック　営業費用(Operating Expenses)は、販売するために要した費用(Selling Expenses)と会社の管理にかかる費用(Administrative Expenses)に分けられる。

例えば、同じ給料(Salaries Expense)でも、営業部門の給料は販売費(Selling Expenses)となるが、人事部門の給料は一般管理費(Administrative Expenses)になる。また、オフィスの支払家賃(Rent Expense)も同じように営業部門が使用していれば販売費(Selling Expenses)となるし、人事部門が使用していれば一般管理費(Administrative Expenses)となる。

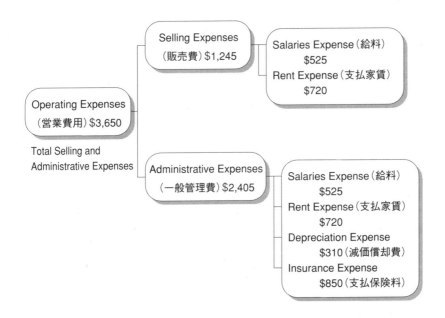

精算表（Work Sheet）上の給料（Salaries Expense）＄1,050のうち、営業部門が50％、人事部門が50％とした場合、販売費（Selling Expenses）が＄525、一般管理費（Administrative Expenses）が＄525となる。

同じように精算表（Work Sheet）上の支払家賃（Rent Expense）＄1,440のうち、営業部門の使用が50％、人事部門が50％とした場合、販売費（Selling Expenses）が＄720、一般管理費（Administrative Expenses）が＄720となる。

減価償却費（Depreciation Expense）及び支払保険料（Insurance Expense）は販売するためでなく会社の管理にかかる費用（Expenses）なので、すべて一般管理費（Administrative Expenses）となる。

③法人税（Income Taxes）

法人税額（Income Taxes）は、税引前当期純利益（Income before Income Taxes）に税率を掛けて求める。例えば、税率が40％であれば税

引前当期純利益（Income before Income Taxes）に40%を掛けた＄920（2,300×40%）となる。〔損益計算書（P/L）の項を参照〕この法人税（Income Taxes）は国に納めるまで以下の仕訳をする。

> (Dr.) Income Taxes 920 / (Cr.) Income Taxes Payable 920
> 　　　（法人税）　　　　　　　　　　　　　　（未払法人税）

貸方（Credit）の未払法人税（Income Taxes Payable）は、貸借対照表（Balance Sheet）の流動負債（Current Liabilities）に計上される。

そして実際に法人税（Income Taxes）を支払えば、未払法人税（Income Taxes Payable）を取り消す。

> (Dr.) Income Taxes Payable 920 / (Cr.) Cash 920
> 　　　（未払法人税）　　　　　　　　　　　　（現金）

④表記

損益計算書では下の例のように、会社名、損益計算書（Income Statement）、期間（For the Year Ended December 31, 1998）の順に表示する。

Anjo Corporation Income Statement（損益計算書） For the Year Ended December 31, 1998 （1998年12月31日に終了する会計年度）	
Sales（売上）	$14,950
Cost of Goods Sold（売上原価）	9,000
Gross Margin（売上総利益）	5,950
Operating Expenses（営業費用）	3,650
Income before Income Taxes（税引前当期純利益）	2,300
Income Taxes（法人税）	920
Net Income（当期純利益）	$1,380

(6) 貸借対照表(Balance Sheet : B/S)

貸借対照表(Balance Sheet : B/S)についても具体的な例をあげて解説していく。

```
                        Anjo Corporation
                     Balance Sheet (貸借対照表)
                      As of December 31, 1998

                            Assets(資産)
Current Assets(流動資産)
  Cash(現金)                                              $3,440
  Accounts Receivable(売掛金)                              4,340
  Inventory(*1)(棚卸資産)                                  1,950
    Total Current Assets(流動資産合計)                       9,730
Property, Plant, and Equipment(*2)(有形固定資産)
  Equipment(設備)                            $2,800
  Less(減算)Accumulated Depreciation(減価償却累計額)  620
    Total Property, Plant, and Equipment(有形固定資産合計)    2,180
Total Assets(資産合計)                                    $11,910

        Liabilities and Stockholders' Equity(負債及び資本)
Liabilities(負債)
  Accounts Payable(買掛金)                                $3,250
  Salaries Payable(未払給料)                                  60
  Income Taxes Payable(未払法人税)                           920
    Total Liabilities(負債合計)                             4,230
Stockholders' Equity(資本)
  Common Stock(資本金)                        $ 4,500
  Retained Earnings(利益剰余金)                3,180 (*3)
    Total Stockholders' Equity(資本合計)                    7,680
Total Liabilities and Stockholders' Equity (負債及び資本合計)  $11,910
```

(*1)精算表(Work Sheet)上の期末棚卸資産(Inventory Dec.31)は貸借対照表(B/S)上では棚卸資産(Inventory)として記載する。

(*2)有形固定資産はProperty, Plant, and Equipmentと記載する。

(*3)利益剰余金(Retained Earnings)は精算表(Work Sheet)上の利益剰余金(Retained Earnings＝ $ 1,800)に損益計算書(Income Statement

：P/L)の当期純利益(Net Income＝＄1,380)を加算(Add)して記載する。この点は特に重要である。

①貸借対照表(Balance Sheet)の区分

貸借対照表(Balance Sheet)は、企業の財政状態(Financial Position)を明瞭に表示するために、次のような区分を設けて作成する。

重要Point! ここをチェック

- ●資産(Assets)、負債(Liabilities)、資本(Stockholder's Equity)を区分する。

- ●資産(Assets)を流動資産(Current Assets)と固定資産(Noncurrent Assets)に区分する。

- ●資産(Assets)、負債(Liabilities)の記載の順序は、原則として換金性の高いもの、あるいは支払い期日の早いものから順に記載する。

- ●減価償却累計額(Accumulated Depreciation)は、該当する資産(Assets)から控除する形式で示す。

なお、貸借対照表(Balance Sheet)の形式には、報告式(Report form)と勘定式(Account form)の2種類がある。ここで記載した貸借対照表(Balance Sheet)は、そのうちの報告式(Report form)のほうである。もう一方の勘定式(Account form)では、資産(Assets)と負債及び資本(Liabilities and Stockholders' Equity)を左と右に分けた形式となる。

②利益剰余金(Retained Earnings)

利益剰余金(Retained Earnings)とは、これまでに稼得した利益の累計である。そのため、前年までの利益剰余金(Retained Earnings)、つまり精算表(Work Sheet)上の利益剰余金(Retained Earnings)に今年度の税引後の当期純利益(Net Income)を加算(Add)して求めることになる。税引

前ではなく、税引後の当期純利益（Net Income）を加算（Add）するという点に注意しなければならない。

《例》

96年に会社を設立し、96年の当期純利益（Net Income）が＄100、97年が＄200、98年が＄400であった。この場合、利益剰余金（Retained Earnings）は96年が＄100、97年が＄300、98年が＄700となる。

	96年	97年	98年
Net Income（当期純利益）	$100	$200	$400
Retained Earnings（利益剰余金）	$100	$300	$700

　会社の利益が増えれば増えるほど、利益剰余金（Retained Earnings）は増加する。会社の価値とは、株主が払い込んだ資本である資本金（Common Stock）と会社が何年も営業活動を行った結果得られた税引後の利益の累計である利益剰余金（Retained Earnings）を加算（Add）した資本（Stockholders' Equity）である。
　このように、当期純利益（Net Income）は貸借対照表（Balance Sheet）上では、利益剰余金（Retained Earnings）として次年度に引き継がれていくのである。

③表記

貸借対照表の表記は、会社名、貸借対照表（Balance Sheet）、日付（December 31,1998）の順に表示する。

```
                    Anjo Corporation
                 Balance Sheet（貸借対照表）
                  As of December 31, 1998

                       Assets（資産）

   Current Assets（流動資産）                            $9,730

   Property, Plant and Equipment（固定資産）              2,180

       Total Assets（資産合計）                         $11,910


        Liabilities and Stockholders' Equity（負債及び資本）

   Liabilities（負債）                                  $4,230


   Stockholders' Equity（資本）

       Common Stock（資本金）              $4,500

       Retained Earnings（利益剰余金）       3,180

       Total Stockholders' Equity（資本合計）             7,680

   Total Liabilities and Stockholders' Equity（負債及び資本合計）  $11,910
```

必ず一致する。

これまで見てきたように、複式簿記（Double-Entry Bookkeeping）は、日常の取引（Transaction）をルールに従って記録して、決算整理（Adjustments）を行い、利益を計算し、次期に残高を繰り越す、といった一連の作業を終始一貫して勘定記録の上で行うことができるのである。

Tea time 13

オリックスとトヨタのニューヨーク市場上場

　日本企業にも会計基準の厳しいアメリカの株式市場に上場して、国際的な信用と資金調達力を高めようという動きが出てきている。98年9月にオリックス、99年9月にトヨタ自動車がニューヨーク証券取引所に相次いで上場したのはそうした流れを示すもので、トヨタ自動車はロンドン証券取引所にも上場している。今後、日本企業の海外株式市場への上場が増えれば、英文会計の知識の重要性はますます高まるだろう。いまが学習を始めるチャンスである。

1. 流動資産（**Current Assets**）と流動負債（**Current Liabilities**）

流動資産（Current Assets）の例

・現金（Cash）

・売掛金（Accounts Receivable）：信用取引（on account）によって
発生する未収代金のこと
販売時（Sales）の仕訳
Accounts Receivable ××× ／ Sales ×××
現金（Cash）の受取り（Received）時の仕訳
Cash ××× ／ Accounts Receivable ×××

・未収収益（Accrued Revenues）：すでに提供した役務に対して
まだ支払われていない対価のこと
例）未収家賃（Rent Receivable）
決算整理仕訳（Adjusting Entry）
Rent Receivable ××× ／ Rent Revenue ×××
現金（Cash）の受取り（Received）時（翌会計期間）の仕訳
Cash ××× ／ Rent Receivable ×××

流動負債（Current Liabilities）の例

・買掛金（Accounts Payable）：信用取引（on account）によって
発生する未払代金のこと
仕入時（Purchases）の仕訳
Purchases ××× ／ Accounts Payable ×××
現金（Cash）の支払い（Paid）時の仕訳
Accounts Payable ××× ／ Cash ×××

・未払費用（Accrued Expenses）：すでに提供された役務に対して、
まだ支払っていない対価のこと
例）未払家賃（Rent Payable）
決算整理仕訳（Adjusting Entry）
Rent Expense ××× ／ Rent Payable ×××
現金（Cash）の支払い（Paid）時（翌会計期間）の仕訳
Rent Payable ××× ／ Cash ×××

2. 決算整理（Adjustments）

　適正な期間損益を計算するために年に一回、期末（End of Year）（通常12月31日）に行う処理。

<例>

> 未収収益（Accrued Revenues）の計上
> 未払費用（Accrued Expenses）の計上
> 減価償却費（Depreciation Expense）の計上
> 売上原価（Cost of Goods Sold）の計算
> 期末棚卸資産（Ending Inventory）の計上　　　　など

3. 精算表（Work Sheet）

　精算表（Work Sheet）とは、試算表（Trial Balance）からB/SとP/Lを作成する全過程を一覧する計算書である。

4. 決算整理（Adjustments）

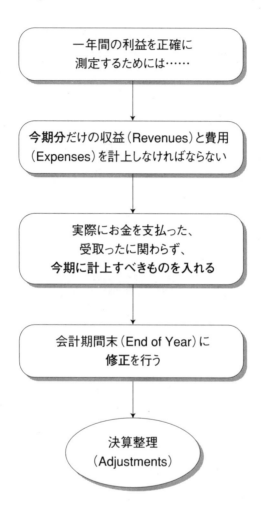

問題 1

　カッコのなかに適当と思われる語句、数字を入れなさい。〔　　〕には日本語または数字、＜　　＞には英語が入ります。

　未収収益(Accrued Revenues)とは、すでに提供した役務(サービス)に対してまだその対価の支払いを受けていないものをいいます。これからその対価の支払いを受取ることができるので、Receivableです。商品に関するReceivableが売掛金であり、商品以外に関するReceivableが未収収益です。

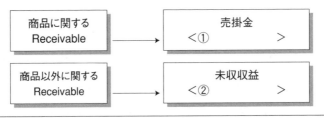

　未収収益(Accrued Revenues)の具体的な勘定としては、未収家賃(Rent Receivable)や未収利息(Interest Receivable)などがあります。例えば、1998年7月1日から12月31日まで部屋を＄500で貸し、その家賃を翌年の1月20日に受取ったとするなら、家賃による収益は〔③　　　〕年に計上するのではなく、〔④　　　〕年に収益として計上します。1998年12月31日の仕訳は次のようになります。

$$＜⑤　　　＞　　500/＜⑥　　　＞　　500$$

　このように発生はしているけれども、まだ現金を受取っていない収益は期中では何ら仕訳を行いません。そこで、期末の決算整

理時（12月31日）に前記のような仕訳を行い、適正な期間損益計算ができるように収益を計上します。そして、1999年1月20日、実際に家賃の支払いを受ければ次のような仕訳をします。

<⑦　　　　＞　　500／<⑧　　　　＞　　　500

問題2

カッコのなかに適当と思われる語句、数字を入れなさい。〔　　　〕には日本語または数字、＜　　　＞には英語が入ります。

未払費用（Accrued Expenses）とは、すでに提供を受けた役務（サービス）に対してまだ支払いをしていないものをいいます。これから支払いをしなければならないのでPayableです。商品に関するPayableが買掛金であり、商品以外の一般的な役務（サービス）に関するPayableが未払費用です。

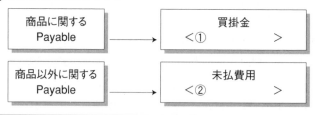

未払費用（Accrued Expenses）の具体的な勘定としては、未払家賃（Rent Payable）や未払利息（Interest Payable）、未払給料（Salaries Payable）などがあります。例えば、ある会社の給料の計算期間は1日から31日までの1ヵ月で、その支払いは翌月の25日とします。1998年12月分の従業員の給料が＄200であったなら、この＄200は1999年1月25日に支払われますが、従業員が労働という役務（サービス）を提供したのは、1998年12月であるので、〔③　　　　〕年

に支払給料という費用を計上するのではなく、〔④　　　　　〕年
に計上します。1998年12月31日の仕訳は次のようになります。

   ＜⑤　　　　＞　　　200/＜⑥　　　　＞　　　200

　この仕訳も未収収益(Accrued Revenues)の仕訳同様、適正な期間
損益計算ができるよう期末に行われる決算整理仕訳の一つです。
そして、1999年1月25日に給料が支払われれば次のような仕訳をし
ます。

   ＜⑦　　　　＞　　　200/＜⑧　　　　＞　　　200

1.Record the following transaction in the journal.

Transactions   Journal

	Debit	Credit
December 2. Bought on account merchandise $ 500		
December 5. Bought on account merchandise $ 200		
December 6. Sold for cash merchandise $ 600		
December 8. Bought for cash merchandise $ 2,000		
December10. Sold for cash merchandise $ 1,800		
December14. Sold for cash merchandise $ 1,000		
December15. Paid rent for the month $ 100		
December18. Sold merchandise on account $ 800		
December20. Sold for cash merchandise $ 450		
December21. Sold merchandise on account $ 950		
December22. Bought for cash merchandise $ 2,200		
December23. Sold merchandise on account $ 850		
December24. Sold merchandise on account $ 300		
December26. Received cash on account $ 100		
December27. Received cash on account $ 550		
December29. Paid insurance $ 100		
December30. Paid salary $ 90		

2.Post the journal entries to the ledger accounts.

Cash	
Dec.1 2,000	

Accounts Receivable	
Dec.1 1,900	

Sales	
	Dec.1 7,000

Accounts Payable	
	Dec.1 1,300

Rent Expense	
Dec.1 650	

Salaries Expense	
Dec.1 800	

Insurance Expense	
Dec.1 500	

Purchases	
Dec.1 4,250	

3.Prepare a trial balance, dated December 31, 1998.

Trial Balance

December 31,1998

	Debit	Credit
Cash		
Accounts Receivable		
Inventory Jan.1,1998	2,500	
Equipment	3,000	
Accumulated Depreciation		300
Accounts Payable		
Common Stock		5,000
Retained Earnings		2,000
Sales		
Purchases		
Rent Expense		
Salaries Expense		
Insurance Expense		
Total		

他の勘定科目(Account)の残高は上記のとおりであるとする。

4.Complete a work sheet for the year ended December 31,1998.

Work Sheet

Accounts	Unadjusted Trial Balance		Adjustments		Adjusted Trial Balance		Income Statement		Balance Sheet	
	Debit	Credit	Debit	Credit	Debit	Credit	Debit	Credit	Debit	Credit
Cash										
Accounts Receivable										
Inventory Jan.1, 1998										
Equipment										
Accumulated Depreciation										
Accounts Payable										
Common Stock										
Retained Earnings										
Sales										
Purchases										
Rent Expense										
Salaries Expense										
Insurance Expense										
Total										
Total										
Inventory Dec.31,1998							3,900	3,900		
Total										
Net Income										
Total										

〔Adjusting Entries〕
(1) Depreciation : $300
(2) Salaries Payable : $150

問題1　解答

①Accounts Receivable　⑤Rent Receivable
②Accrued Revenues　⑥Rent Revenue
③1999　⑦Cash
④1998　⑧Rent Receivable

問題2　解答

①Accounts Payable　⑤Salaries Expense
②Accrued Expenses　⑥Salaries Payable
③1999　⑦Salaries Payable
④1998　⑧Cash

1.

Transactions :

December 2. Bought on account merchandise $500

December 5. Bought on account merchandise $200

December 6. Sold for cash merchandise $600

December 8. Bought for cash merchandise $2,000

December 10. Sold for cash merchandise $1,800

December 14. Sold for cash merchandise $1,000

December 15. Paid rent for the month $100

December 18. Sold merchandise on account $800

December 20. Sold for cash merchandise $450

December 21. Sold merchandise on account $950

December 22. Bought for cash merchandise $2,200

December 23. Sold merchandise on account $850

December 24. Sold merchandise on account $300

December 26. Received cash on account $100

December 27. Received cash on account $550

December 29. Paid insurance $100

December 30. Paid salary $90

Journal

	Debit		Credit	
Dec. 2	Purchases	500	Accounts Payable	500
Dec. 5	Purchases	200	Accounts Payable	200
Dec. 6	Cash	600	Sales	600
Dec. 8	Purchases	2,000	Cash	2,000
Dec.10	Cash	1,800	Sales	1,800
Dec.14	Cash	1,000	Sales	1,000
Dec.15	Rent Expense	100	Cash	100
Dec.18	Accounts Receivable	800	Sales	800
Dec.20	Cash	450	Sales	450
Dec.21	Accounts Receivable	950	Sales	950
Dec.22	Purchases	2,200	Cash	2,200
Dec.23	Accounts Receivable	850	Sales	850
Dec.24	Accounts Receivable	300	Sales	300
Dec.26	Cash	100	Accounts Receivable	100
Dec.27	Cash	550	Accounts Receivable	550
Dec.29	Insurance Expense	100	Cash	100
Dec.30	Salaries Expense	90	Cash	90

2.

Cash				Accounts Receivable				Sales		
Dec.1	2,000	Dec. 8	2,000	Dec. 1	1,900	Dec.26	100		Dec. 1	7,000
Dec.6	600	Dec.15	100	Dec.18	800	Dec.27	550		Dec. 6	600
Dec.10	1,800	Dec.22	2,200	Dec.21	950				Dec.10	1,800
Dec.14	1,000	Dec.29	100	Dec.23	850				Dec.14	1,000
Dec.20	450	Dec.30	90	Dec.24	300				Dec.18	800
Dec.26	100			Dec.31	4,150				Dec.20	450
Dec.27	550								Dec.21	950
Dec.31	2,010								Dec.23	850
									Dec.24	300
									Dec.31	13,750

Accounts Payable				Rent Expense			Salaries Expense		
		Dec. 1	1,300	Dec. 1	650		Dec. 1	800	
		Dec. 2	500	Dec.15	100		Dec.30	90	
		Dec. 5	200	Dec.31	750		Dec.31	890	
		Dec.31	2,000						

Insurance Expense			Purchases		
Dec. 1	500		Dec. 1	4,250	
Dec.29	100		Dec. 2	500	
Dec.31	600		Dec. 5	200	
			Dec. 8	2,000	
			Dec.22	2,200	
			Dec.31	9,150	

3.

Trial Balance
December 31,1998

	Debit	Credit
Cash	2,010	
Accounts Receivable	4,150	
Inventory Jan. 1,1998	2,500	
Equipment	3,000	
Accumulated Depreciation		300
Accounts Payable		2,000
Common Stock		5,000
Retained Earnings		2,000
Sales		13,750
Purchases	9,150	
Rent Expense	750	
Salaries Expense	890	
Insurance Expense	600	
Total	23,050	23,050

4. Work Sheet

Accounts	Unadjusted Trial Balance		Adjustments		Adjusted Trial Balance		Income Statement		Balance Sheet	
	Debit	Credit	Debit	Credit	Debit	Credit	Debit	Credit	Debit	Credit
Cash	2,010				2,010				2,010	
Accounts Receivable	4,150				4,150				4,150	
Inventory Jan.1, 1998	2,500				2,500		2,500			
Equipment	3,000				3,000				3,000	
Accumulated Depreciation		300		(a) 300		600				600
Accounts Payable		2,000				2,000				2,000
Common Stock		5,000				5,000				5,000
Retained Earnings		2,000				2,000				2,000
Sales		13,750				13,750		13,750		
Purchases	9,150				9,150		9,150			
Rent Expense	750				750		750			
Salaries Expense	890		(b) 150		1,040		1,040			
Insurance Expense	600				600		600			
Total	23,050	23,050								
Depreciation Expense			(a) 300		300		300			
Salaries Payable				(b) 150		150				150
Total			450	450	23,500	23,500				
Inventory Dec.31,1998								3,900	3,900	
Total							14,340	17,650	13,060	9,750
Net Income							3,310			3,310
Total							17,650	17,650	13,060	13,060

　精算表（Work Sheet）は、試算表（Trial Balance）の金額をもとに決算整理を行い、最終的に損益計算書（Income Statement）、貸借対照表（Balance Sheet）に表示する金額を計算する表である。精算表（Work Sheet）の左から右へと作業を進めていく。

①Unadjusted Trial Balance欄

　問題３の試算表の金額をそのままうつす。借方（Debit）の金額は借方

(Debit)、貸方(Credit)の金額は貸方(Credit)にうつす。

②Adjustments欄

決算整理仕訳情報をもとに記入していく。

(1) 減価償却額が$300

> Depreciation Expense 300 / Accumulated Depreciation 300

Accumulated DepreciationのCreditに300、そしてDepreciation Expense
の欄がないので新たに追加し、その欄のDebit に300と記入する。また、
対応している勘定科目(Account)がわかりやすいように印をつけておく
〔ここでは(a)とつける〕。

(2) 未払の給料が$150

> Salaries Expense 150 / Salaries Payable 150

Salaries ExpenseのDebitに150、そしてSalaries Payableの欄がないので
新たに追加し、その欄のCreditに150と記入する。また、対応している
勘定(Account)がわかりやすいように(b)と印をつける。

Adjustments欄の合計をDebit 、Credit、それぞれ計算する(ここでは、
450となる)。

③ Adjusted Trial Balance欄

Adjustments後の金額を記入する。

④Income Statement欄とBalance Sheet欄

損益計算書(P/L)の勘定科目は損益計算書欄、貸借対照表(B/S)の勘
定科目は貸借対照表欄に金額をうつす。ここで、注意しなければいけな
いことは、売上原価(Cost of Goods Sold)の計算を行うため、損益計算
書欄に資産であるInventory Jan. 1, 1998とInventory Dec. 31, 1998 を記入
することである。Inventory Jan. 1, 1998[2,500]はDebit、Inventory Dec.

31, 1998 [3,900] はCreditに記入する。また、貸借対照表（B/S）は期末
（End of Year）（12月31日）での残高を示す表であるため、Inventoryは
Inventory Dec. 31, 1998 の金額を記入する。Inventory Jan. 1, 1998は貸借
対照表欄には記入しない。

　損益計算書欄、貸借対照表欄をそれぞれ合計し、損益計算書欄の
DebitとCreditの差額と貸借対照表欄のDebitとCreditの差額が一致すれば
よい。この差額がNet Incomeであり、ここでは3,310となる。

※仕訳帳（Journal）から精算表（Work Sheet）までの手順のまとめ

1.	その期間の各種取引（Transactions）を仕訳帳（Journal）に仕訳（Journal Entry）する。仕訳帳（Journal）においては、取引が行われた日付（Date）の順番に記帳される。
2.	仕訳（Journal Entry）に基づいて、それぞれの勘定科目（Account）ごとに元帳（Ledger）に転記（Posting）する。
3.	各勘定科目（Account）ごとに期末残高を計算し、試算表（Trial Balance）を作成する。その際、試算表の貸借の合計が一致していることを確認する。 　もしも、貸借の合計が一致しない場合には、仕訳または転記の過程で間違いがあったことがわかる。
4.	精算表（Work Sheet） ①精算表（Work Sheet）の各勘定科目（Accounts）欄に、上記3.で作成した試算表（Trial Balance）の残高をそれぞれ記入する。 ②必要な決算整理仕訳（Adjusting Entry）を決算整理欄（Adjustments）に記入し、修正後残高試算表（Adjusted Trial Balance）の欄を作成する。 ③各勘定科目（Account）の修正後残高試算表（Adjusted Trial Balance）の残高を収益、費用勘定はP/L欄へ、資産、負債及び資本勘定はB/S欄へ記入し、合計額を計算する。それぞれの貸

借の合計額の差額を当期純利益（Net Income）欄に記入し、P/L欄とB/S欄の当期純利益（Net Income）の額が等しいことを確認する。

　最後に、P/L欄及びB/S欄のそれぞれの貸借の合計額が等しいことを確認する。

Tea time 14

米国公認会計士（CPA）の試験制度

　英文会計のスペシャリストである米国公認会計士（CPA）試験は、アメリカのビジネスエリートを目指す人が多く受ける試験ではあるが、合格率は約30％と意外なほど高い。問題形式も選択問題の比率が約80％と高く、日本人の苦手な口頭試問は課されないので、基礎的な知識をマスターしていれば合格できると考えてよいだろう。試験は年に2回、5月と11月にアメリカ各州で行われる。試験科目は財務会計、税法・管理会計・公会計、ビジネスロー、監査の4科目。合格基準は100点満点中各科目とも75点以上得点することで、科目合格が認められており、多くの州では4科目中2科目が75点以上でかつ残りの科目が50点以上ならば、75点以上の科目について科目合格となり、全科目が75点以上となった時点で米国公認会計士（CPA）試験合格者となる。また、関連資格として、米国税理士（EA）、米国公認管理会計士（CMA）、米国公認経営管理士（CFM）、公認内部監査人（CIA）などの資格があり、それぞれANJOインターナショナルで講座が開講されている。

　CPA試験に関しては、ANJOインターナショナルでは、モンタナ州立大学ビリングス校と提携して、試験の要件となる会計関連やビジネス関連の大学単位を日本で取得できるプログラムを用意している。

　同校では通学コースと通信（ビデオ）コースがあり、その選択・組合せは自由なので、各自のペースに合わせて学習できる（通学と通信の併用も可能）。通信コースは、実際の授業をそのまま録画したビデオを使用するので、通学との差はまったくない。さらにインターネット講座も開設している。

　詳しくは、ANJOインターナショナル東京本部（電話：03-3593-0470/FAX03-3593-0471/URL：http://www.anjo.co.jp/E-mail：cpa@anjo.co.jp）、大阪校（電話：06-6347-7333）ほか各校に問い合わせを。

英文簿記専門用語集

第1章関連単語

	重要単語	和訳	学習する章
1.	Account	勘定科目（勘定）	
2.	Accounting Period	会計期間	
3.	Accounting Principles	会計原則	
4.	Accounts Payable	買掛金	第2章の学習内容
5.	Accounts Receivable	売掛金	第2章の学習内容
6.	Accumulated Depreciation	減価償却累計額	第4章の学習内容
7.	Adjusted Trial Balance	修正後残高試算表	第5章の学習内容
8.	Adjusting Entry	決算整理仕訳	第5章の学習内容
9.	Adjustments	決算整理	第5章の学習内容
10.	Advertising Expense	広告宣伝費	
11.	Annual Report	年次報告書	
12.	Assets	資産	
13.	Audit	監査	
14.	Balance Sheet (B/S)	貸借対照表	
15.	Bank	銀行	
16.	Bankruptcy	倒産	
17.	Beginning Inventory	期首棚卸資産	
18.	Beginning of Year	期首	
19.	Bookkeeping	簿記	
20.	Bought	購入した	
21.	Buy, Purchase	購入	
22.	Cash	現金	
23.	Chart of Accounts	勘定科目表	
24.	Common Stock	資本金	第5章の学習内容
25.	Company	会社	
26.	Credit	貸方	

27.	Date	日付	
28.	Debit	借方	
29.	Decrease	減少	
30.	Depreciation	減価償却	第 4 章の学習内容
31.	Disclosure	開示	
32.	Dividends	配当金	
33.	Double-Entry Bookkeeping	複式簿記	
34.	Ending Inventory	期末棚卸資産	
35.	End of Year	期末	
36.	Equipment	設備	
37.	Expenses	費用	
38.	Financial Accounting Standards Board (FASB)	財務会計基準審議会	
39.	Financial Position	財政状態	
40.	Financial Statements (F/S)	財務諸表	
41.	Generally Accepted Accounting Principles (GAAP)	一般に公正妥当と認められた会計原則	
42.	Income Statement (P/L) Profit and Loss Statement (P/L)	損益計算書	
43.	Increase	増加	
44.	Insurance Expense	支払保険料	
45.	Interest	利息	
46.	Interest Expense	支払利息	
47.	Interest Revenue	受取利息	
48.	Interim Financial Statements	中間財務諸表	
49.	Invest Money	投資	
50.	Journal	仕入幅	
51.	Journal Entry	仕訳	
52.	Land	土地	

53.	Ledger	元帳	
54.	Lend Money	融資	
55.	Liabilities	負債	
56.	Management	経営	
57.	Manufacturer	製造業	
58.	Merchandise	商品	
59.	Net Income	当期純利益	
60.	Net Loss	当期純損失	
61.	On Account	掛(信用)取引	第2章の学習内容
62.	Operating Results	経営成績	
63.	Paid	支払った	
64.	Posting	転記	
65.	Purchases	仕入	
66.	Quarterly Statements	四半期報告書	
67.	Received	受取った	
68.	Record	記入する	
69.	Retained Earnings	利益剰余金	第5章の学習内容
70.	Rent	家賃	
71.	Rent Expense	支払家賃	
72.	Rent Revenue	受取家賃	
73.	Revenues	収益	
74.	Salaries Expense	給料	
75.	Salaries Payable	未払給料	第5章の学習内容
76.	Sales	売上	
77.	Sold	販売した	
78.	Statement of Cash Flows (C/S)	キャッシュフロー計算書	
79.	Stockholder	株主	
80.	Stockholders' Equity	資本	第5章の学習内容

	重要単語	和訳	学習する章
81.	Total	合計	
82.	Transaction	取引	
83.	Trial Balance (T/B)	試算表	第2章の学習内容
84.	Work Sheet (W/S)	精算表	第5章の学習内容

第2章関連単語

	重要単語	和訳	学習する章
1.	Account	勘定科目(勘定)	
2.	Accounting Period	会計期間	
3.	Accounts Payable (A/P)	買掛金	
4.	Accounts Payable Ledger	買掛金元帳	
5.	Accounts Receivable (A/R)	売掛金	
6.	Adjustments	決算整理	第5章の学習内容
7.	Advertising Expense	広告宣伝費	
8.	Assets	資産	
9.	Balance Sheet (B/S)	貸借対照表	
10.	Bookkeeping	簿記	
11.	Cash	現金	
12.	Cash Ledger	現金元帳	
13.	Cash Payment	支払	
14.	Cash Receipt	入金	
15.	Common Stock	資本金	第5章の学習内容
16.	Credit (Cr.)	貸方	
17.	Credit Balance	貸方残	
18.	Debit (Dr.)	借方	
19.	Debit Balance	借方残	
20.	Double-Entry Bookkeeping	複式簿記	

21.	Expenses	費用	
22.	Financial Position	財政状態	
23.	Financial Statements (F/S)	財務諸表	
24.	For a Given Accounting Period	一会計年度	
25.	General Ledger	総勘定元帳	
26.	Income Statement (P/L)	損益計算書	
27.	Insurance Expense	支払保険料	
28.	Interest Expense	支払利息	
29.	Interest Revenue	受取利息	
30.	Inventory	棚卸資産	第3章の学習内容
31.	Invoice	請求書	
32.	Journal	仕訳帳	
33.	Journal Entry	仕訳	
34.	Land	土地	
35.	Ledger	元帳	
36.	Liabilities	負債	
37.	Merchandise	商品	
38.	Net Income	当期純利益	
39.	Net Loss	当期純損失	
40.	On Account	掛（信用）取引	
41.	Operating Results	経営成績	
42.	Paid	支払った	
43.	Point-in-time	一定時点	
44.	Posting	転記	
45.	Purchases	購入、仕入	
46.	Purchase Ledger	仕入元帳	
47.	Received	受取った	
48.	Rent	家賃	

49.	Rent Expense	支払家賃	
50.	Retained Earnings	利益剰余金	第5章の学習内容
51.	Revenues	収益	
52.	Salaries Expense	給料	
53.	Sales	販売、売上	
54.	Sales Ledger	売上元帳	
55.	Service Revenue	サービス収益	
56.	Stockholders' Equity	資本	第5章の学習内容
57.	Subsidiary Ledger	補助元帳	
58.	Total	合計	
59.	Total Assets	資産合計	
60.	Total Expenses	費用合計	
61.	Total Liabilities and Stockholders' Equity	負債及び資本合計	
62.	Total Revenues	収益合計	
63.	Total Stockholders' Equity	資本合計	
64.	Transaction	取引	
65.	Trial Balance (T/B)	試算表	
66.	Work Sheet (W/S)	精算表	第5章の学習内容

第3章関連単語

	重要単語	和訳	学習する章
1.	Accounting Period	会計期間	
2.	Add	加算	
3.	Average unit cost	総平均単価	
4.	Beginning Inventory (BI)	期首棚卸資産	
5.	Cost of Goods Sold (CGS)	売上原価	
6.	Ending Inventory (EI)	期末棚卸資産	
7.	End of Year	期末	
8.	Expenses	費用	
9.	First-in, First-out : FIFO	先入先出法	
10.	Fixed Assets	有形固定資産	
11.	Freight-in	運賃	
12.	Goods Available for Sale	販売可能な商品原価	
13.	Gross Margin	売上総利益	
14.	Income Statement (P/L)	損益計算書	
15.	Insurance	保険	
16.	Inventory	棚卸資産	
17.	Inventory Cost	棚卸資産の取得原価	
18.	Inventory Valuation Methods	棚卸資産の評価方法	
19.	Last-in, First-out : LIFO	後入先出法	
20.	Less	減算	
21.	Merchandise	商品	
22.	Method	方法	
23.	Net Income	当期純利益	
24.	Number of units	個数	
25.	Operating Expenses	営業費用	
26.	Plug	差額	

27.	Purchases (P)	仕入	
28.	Rent Expense	支払家賃	
29.	Salaries Expense	給料	
30.	Sales	売上	
31.	Specific Identification	個別法	
32.	Unit cost	単価	
33.	Valuation Method	評価方法	
34.	Variables	変数	
35.	Warehousing	倉庫代	
36.	Weighted-Average	総平均法	

第4章関連単語

	重要単語	和訳	学習する章
1.	Accelerated Depreciation Method	加速度的償却法	
2.	Accounts Payable (A/P)	買掛金	
3.	Accounts Receivable (A/R)	売掛金	
4.	Accumulated Depreciation (AD)	減価償却累計額	
5.	Adjustments	決算整理	第5章の学習内容
6.	Allocation	配分	
7.	Assets	資産	
8.	Balance Sheet (B/S)	貸借対照表	
9.	Cash	現金	
10.	Common Stock	資本金	第5章の学習内容
11.	Cost (C)	取得原価	
12.	Credit	貸方	
13.	Current Assets	流動資産	
14.	Debit	借方	
15.	Denominator	分母	
16.	Depreciation	減価償却	
17.	Depreciation Expense (DE)	減価償却費	
18.	Double-Declining Balance (DDB)	二倍定率法	
19.	End of Year	期末	
20.	Equipment	設備	
21.	Expenses	費用	
22.	Income Taxes Payable	未払法人税	第5章の学習内容
23.	Intangible Assets	無形固定資産	
24.	Inventory	棚卸資産	
25.	Journal Entry	仕訳	
26.	Land	土地	

27.	Less	減算	
28.	Liabilities	負債	
29.	Machine	機械	
30.	Match	対応	
31.	Merchandise	商品	
32.	Net Book Value (NBV)	簿価	
33.	Net Income	当期純利益	
34.	Noncurrent Assets	固定資産	
35.	Noncurrent Liabilities	固定負債	
36.	Numerator	分子	
37.	One Year Rule	一年基準	
38.	Operating Cycle Rule	正常営業循環基準	
39.	Patent	特許権	
40.	Retained Earnings	利益剰余金	第5章の学習内容
41.	Revenues	収益	
42.	Salaries Payable	未払給料	
43.	Salvage Value (SV)	残存価額	
44.	Stockholders' Equity	資本	第5章の学習内容
45.	Straight-Line (SL)	定額法	
46.	Sum-of-the-Years' Digits (SYD)	級数法	
47.	Tangible Assets	有形固定資産	
48.	Total Current Assets	流動資産合計	
49.	Total Current Liabilities	流動負債合計	
50.	Total Stockholders' Equity	資本合計	
51.	Trademark	商標権	
52.	Useful Life (UL)	耐用年数	
53.	Valuation Account	評価勘定 (資産のマイナス勘定)	

第5章関連単語

	重要単語	和訳	学習する章
1.	Accounts Payable (A/P)	買掛金	
2.	Accounts Receivable (A/R)	売掛金	
3.	Account	勘定科目	
4.	Accrual Basis	発生主義	
5.	Accrued Expenses	未払費用	
6.	Accrued Revenues	未収収益	
7.	Accumulated Depreciation (AD)	減価償却累計額	
8.	Adjusted Trial Balance	修正後残高試算表	
9.	Adjusting Entry	決算整理仕訳	
10.	Adjustments	決算整理	
11.	Administrative Expenses	一般管理費	
12.	Assets	資産	
13.	Balance Sheet (B/S)	貸借対照表	
14.	Beginning Inventory (BI)	期首棚卸資産	
15.	Cash	現金	
16.	Cash Basis	現金主義	
17.	Common Stock	資本金	
18.	Cost of Goods Available for Sale	販売可能な商品の原価	
19.	Cost of Goods Sold (CGS)	売上原価	
20.	Credit	貸方	
21.	Current Assets	流動資産	
22.	Current Liabilities	流動負債	
23.	Debit	借方	
24.	Depreciation Expense (DE)	減価償却費	
25.	Ending Inventory (EI)	期末棚卸残高	
26.	End of Year	期末	

27.	Equipment	設備	
28.	Expenses	費用	
29.	Financial Statements (F/S)	財務諸表	
30.	Gross Margin	売上総利益	
31.	Income Statement (P/L)	損益計算書	
32.	Income Taxes Payable	未払法人税	
33.	Income Tax	法人税	
34.	Income before Income Taxes	税引前当期純利益	
35.	Insurance Expense	支払保険料	
36.	Interest Payable	未払利息	
37.	Interest Receivable	未収利息	
38.	Inventory	棚卸資産	
39.	Journal	仕訳帳	
40.	Journal Entry	仕訳	
41.	Ledger	元帳	
42.	Liabilities	負債	
43.	Net Income	当期純利益	
44.	Noncurrent Assets	固定資産	
45.	Noncurrent Liabilities	固定負債	
46.	Posting	転記	
47.	Purchases	仕入	
48.	Rent Expense	支払家賃	
49.	Rent Payable	未払家賃	
50.	Rent Receivable	未収家賃	
51.	Rent Revenue	受取家賃	
52.	Retained Earnings	利益剰余金	
53.	Revenues	収益	
54.	Salaries Expense	給料	

55.	Salaries Payable	未払給料	
56.	Sales	売上	
57.	Selling Expenses	販売費	
58.	Stockholders' Equity	資本	
59.	Transaction	取引	
60.	Trial Balance (T/B)	試算表	
61.	Unadjusted Trial Balance	修正前残高試算表	
62.	Work Sheet Procedures	精算表作成手順	
63.	Work Sheet (W/S)	精算表	

◆監修者紹介
安生浩太郎（あんじょう・こうたろう）
1965年8月東京生まれ。88年慶應義塾大学経済学部卒業。野村證券主計部を経て、95年2月ANJOインターナショナルを設立、代表取締役社長に。米国公認会計士（CPA）、国連英検特A級。米国モンタナ州立大学の会計学講師も務める。著書に『成功術X（エックス）でいこう』（レゾナンス出版）、『国際会計基準（IAS）は経営を変える』（実業之日本社）、監修したものに『米国公認会計士（CPA）資格ガイド』（東洋経済新報社）などがある。

◆編著者紹介
株式会社ANJOインターナショナル
総合ビジネスサポート企業（教育・研修・人材紹介・アウトソーシング）。米国公認会計士（CPA）をはじめ、米国税理士（EA）など各種海外資格取得の最大の専門校として、現在、東京・大阪はじめ全国10都市に11教室を展開。

えいぶんぼきにゅうもん
英文簿記入門

2000年2月27日　初版第1刷発行

監 修 者　安生浩太郎
編　　者　ANJOインターナショナル
発 行 者　増田義和
発 行 所　株式会社　実業之日本社
本　　社　〒104-8233　東京都中央区銀座1-3-9
　　　　　電話03・3562-4041（編集）
　　　　　　03・3535-4441（販売）
　　　　　振替00110-6-326
関西支局　〒530-0057　大阪市北区曽根崎2-12-7梅田第一ビル
　　　　　電話06-6312-1573

印　　刷　大日本印刷(株)
製　　本　(株)石毛製本所

好評
発売中
四六判 並製

国際会計基準
[IAS]は
経営を変える

ANJOインターナショナル代表取締役
米国公認会計士（CPA）

安生 浩太郎 著

▼

「会計ビッグバン」が始まった！

国際会計基準（IAS）で企業経営は大きく
変わり、実力主義人事により、米国公認会
計士（CPA）など国際資格にさらに注目が
集まる。